婚約破棄のその先に
2
捨てられ令嬢、
王子様に
溺愛（演技）
される
Mari Morikawa
森川 茉里
イラスト ボダックス

CONTENTS

「久しぶりだね、オリヴィア嬢」
「ローザリアの若き太陽、アークレイン殿下に
オリヴィア・レインズワースがご挨拶申し上げます」
オリヴィアが挨拶の口上を述べた。
「そうだ！　殿下にご紹介しますね。
こちらはロバート・テイラー。
すごく素敵な絵を描くんです。」
「ああ、こちらが……よろしく、ロバート」
アークレインが声を掛けると、
ロバートはビクリと身を竦ませた。
彼の冷や汗は演技だろうか。
それとも本当に焦っているのか——。

「可愛い……！
仕草の全部が
可愛いですね……！」
エステルがしゃがみ込むと、
猫はするりとアークレインから離れ、
エステルの膝に前脚をかけて
手の平に載せて差し出す。
すると猫はエステルの手の平から
器用に鶏肉を舐めとった。
「わあ！　猫だから舌がざらざらしてます！」
エステルは歓声を上げながら、
空いている手で猫の頭を優しく撫でた。

婚約破棄のその先に 2

捨てられ令嬢、王子様に溺愛（演技）される

Mari Morikawa
森川 茉里

イラスト ボダックス

主な登場人物

エステル

本作の主人公。

将来を約束していた幼馴染に婚約破棄され、傷心のまま出向いた夜会でアークレインと運命の出会いを果たす。

他者の「マナ」が視えるという特別な異能を持っている事に目をつけられ、本人の意思とは無関係に彼の婚約者となった。

アークレイン

ローザリア王国第一王子。

地位に加えて容姿端麗・頭脳明晰であり、非の打ち所のない人物と思われている。

しかし、異母弟である第二王子との政争や複雑な家族関係など、抱えている心の闇も少なくない。

ロバート

当主不在のレインズワース家に突如として入り込んだ画家の卵。

アデラインの寵愛を受け、徐々にレインズワース家の中で存在感を発揮していくのだが……

オリヴィア

かつてアークレインの婚約者候補と噂された令嬢。

自身からアークレインを奪ったエステルに対してよく思っていない気持ちがあるものの、前向きに生きようとしている。

リーディス

ローザリア王国第二王子。

アークレインの異母弟であり、政敵でもあるため事あるごとに兄へ突っかかる。

アデライン

オリヴィアの実母。

当主である夫のトールメイラーが病に倒れてから、家を守るために奔走する。

プロローグ

オリヴィア・レインズワースは、周囲からの様変わりした視線を冷ややかに受け止めていた。

冷笑、嘲笑、そして同情が入り交じった視線が降り注いでくるのが煩わしい。

社交界での立場が崩れるのは一瞬だ。現在のオリヴィアは痛いほどにそれを思い知らされていた。

宮殿で開催されたニューイヤーパーティー――あの日を境に、オリヴィアに向けられる周りの態度はそれまでと真逆になった。

当時のアークレインとのやり取りは、今もオリヴィアの心に棘《とげ》のように突き刺さっている。

目を閉じれば、その時の彼の姿がまるで昨日の事のように鮮やかに蘇《よみがえ》った。

◆◆◆

ニューイヤーパーティーの主催者は国王だが、同時にアークレインとエステルの婚約発表がされたため、あの日の主役は彼ら二人と言っても過言ではなかった。

晩餐《ばんさん》が始まると、アークレインはエステルを連れて会場内を移動し、挨拶がてら婚約者を紹介して回り始める。そして、レインズワース侯爵家の順番がやって来た。

「おめでとうございます、殿下」

決して本心ではない引きつった表情での祝辞を、アークレインはいつもの微笑で受け止めた。

「突然の事なので驚きました。正直……受け止めきれないでおります」

私を選んでいただけると思っていたのに。

言外に想いを込めてアークレインを見つめると、彼の笑みは消え、オリヴィアにだけ聞こえる程度の小さな声で囁《ささや》いた。

「申し訳ない。彼女に出会っていなければ、恐らく私は君を選んだと思う」

そう言われた瞬間に湧き上がったのは、どす黒い嫉妬と焼き焦がすような思慕が入り交じった醜い感情だった。


――どうして？　何がいけなかったの？　あの人と私の差は何？


邸《やしき》に帰ってからオリヴィアは何度も自問自答し、目を泣き腫らして考えた。

思い返せば、誰よりも王子妃に近い存在と持ち上げられてはいたものの、一度たりともアークレインから決定的な言葉を貰《もら》った事はなかった。

初めてアークレインにエスコートしてもらったのは、今からちょうど一年前だ。

その頃の彼は父王の体調不良のため士官学校を中退し、社交界への露出が増えていた。

かねてからオリヴィアを王子妃にと望んでいた父、トールメイラーは、これを好機と捉え、彼を支える派閥の重鎮として動き始めた。

元々見目麗しい王子様に対して憧れを抱いていたオリヴィアにとって、それは願ってもないものだった。

侯爵家に生まれたオリヴィアに待っているのは、家にとって釣り合う相手との縁談だ。アークレインは、当時のオリヴィアにとって最上の相手だった。

それからもパートナーが必要な場面で、お願いすれば彼はオリヴィアをエスコートしてくれた。紳士的な態度に優しい眼差《まなざ》しを向けられたら、誰だって勘違いする。彼への憧れが恋心に変わるまでに時間はかからなかった。


周りからも未来の王子妃と噂《うわさ》され、いい気になっていた自分はまるで道化師だ。

哀しみに暮れながら考え続ける中で、オリヴィアはかすかな違和感を覚えた。

（エスコートして下さったのはお願いした時だけだったわ）

アークレインは何でも卒なくこなす優秀な人物だ。微笑《ほほえ》みの下に感情を隠し、粛々と目の前の公務を処理していく人である。醜聞とは無縁で、議員や官僚からの評価も高い。そんな彼が、何の理由もなくオリヴィアの願いを聞き入れ、婚約の噂を放置するだろうか。

（まさか、私の気持ちを利用していた……？）

エステルが現れなければオリヴィアを選んだと彼は言った。それは、言い換えれば恋心を利用してオリヴィアをキープしていたという事ではないのだろうか。

その可能性に思い至った瞬間、背筋が冷えた。それは同時に恋心が冷めた瞬間でもあった。

アークレインの態度に激怒した父は、第一王子派から距離を置いた。

しかし、侯爵家が経営する商会と取引先との関係などを考えると、即座に第二王子派に鞍替《くら》えする訳にはいかなかったようで、今はどっちつかずの立場を取っている。

そんな父の目下の悩みは適齢期のオリヴィアの嫁ぎ先探しで、国内の貴族だけでなく植民地《コロニー》や近隣諸国も視野に入れて、未婚の貴公子のリストアップを進めているようだ。

父は頭を痛めているし、母、アデラインもこのところずっと機嫌が悪い。

アークレインよりも劣る男性がオリヴィアの相手になるだけでなく、心無い噂の標的になっているのが母にとっては我慢ならないのだ。

現在の家族間の雰囲気は最悪で、それもまたオリヴィアの気を重くしていた。

◆　◆　◆

現在、レインズワース侯爵家は社交の場ではアークレインを避けている。

しかし、今日は宮殿で、国王サーシェスの即位三十周年を祝う記念式典が開催される。さすがに世襲貴族の一員として欠席する訳にはいかず、一家は渋々参加したのだった。

「未来の王子妃なんて持ち上げられていたのにお可哀想《かわいそう》」

「あら、少し前までのあの方の態度って凄《すご》く鼻についたもの。いい気味よ」

「必死に次を探していらっしゃるみたいだけど……第一王子殿下ほどの相手は望めないでしょうから惨めよね」

「オリヴィア嬢のお母様って亡命貴族《エミグレ》じゃない。元々それで王子妃になろうなんて考えるのが分不相応だったのよ」

案の定、心無い囁きが聞こえてきた。

その度に、やや後ろを歩く母、アデラインの怒りの気配が伝わってくる。

彼女は今から三十五年前に起こった隣国・フランシールでの政変の際、国を追われた亡命貴族だ。ローザリアまで命からがら逃げてきたものの、一気に生活の質が落ち、かなり苦労したと聞いている。亡命貴族とあげつらう声は、何よりも母を苛立《いらだ》たせる陰口だった。

アデラインをよく見ると、顔には出さないよう堪《こら》えているようだが扇を持つ手が震えていた。

「お前たちは無理せず欠席しても良かったんだぞ」

エスコート役を務める父に話しかけられ、オリヴィアは首を横に振った。

「無理なんかしていません。それに、こんな雰囲気の中、お父様を一人にする訳にはいきませんから」

「そうですよ。欠席したらそれこそ何を言われるか」

オリヴィアに続いて発言したのはアデラインだ。今日の母は、オリヴィアの付添人《シャペロン》という立ち位置でここにいる。

付添人は、未婚の貴族の娘が社交界に参加する時に妙な相手に引っかからないよう傍《そば》に付くお目付け役であり、親族の年上の女性が務めるのが一般的だ。

オリヴィアの場合は、これまで父の妹が同行してくれる事が多かったが、ニューイヤーパーティーでの一件以来、彼女はレインズワース侯爵家と露骨に距離を取り始めた。そのため、最近の社交の催しでは、オリヴィアのパートナーは父が、付添人を母が務めて参加するという形に変わっていた。

今日の即位記念式典は、父さえ出席すれば王家への義理は果たせる。しかしその場合も世間は面白おかしく囁くに違いない。

それはオリヴィアの婚約者探しに悪影響を及ぼす可能性がある。だから嫌々ながらも一家で出席すると決めたのだった。


定められた席に着くと周囲の視線が突き刺さった。

その中には既に会場入りしていたアークレインとエステルのものもある。

貴族よりも一段高い位置にある王族席に座った二人は、仲睦《むつ》まじい姿をアピールするためか、今日もお揃《そろ》いの要素を衣装に取り入れていた。

アークレインとエステルの視線が揃ってこちらを捉えた。かと思ったら、アークレインはすぐにエステルの方を向いてしまい、エステルもまた気まずそうにオリヴィアから目を逸《そ》らす。

その二人の態度に、両隣の両親から怒りの感情が伝わってきた。怒りの度合いで言えばアデラインの方が大きいだろうか。

自分の出自に関する陰口を叩《たた》かれている事もあってか、最近の母は情緒不安定だ。

(そこまで怒らなくてもいいのに)

オリヴィアは心の中でつぶやいた。

エステルについてどう思っているのか仮に誰かに聞かれたら、間違いなく『嫌い』と即答するけれど、ニューイヤーパーティーの日ほどの怒りや憎しみはオリヴィアの中から薄れつつあった。

嫌悪の感情は、どちらかと言えばアークレインに向かうものの方が強い。さりとて彼に対する未練がある訳ではない。あんな腹黒、こちらから願い下げだ。

(この国にいる限り、あの二人の姿を見続けないといけないのよね……)

オリヴィアにも矜持《きょうじ》があるから、こちらから目を逸らしたりはしない。だけど視界に映るだけでも目障りだというのが今の率直な感情だった。

これは海外で嫁ぎ先を見つけてもらった方がいいかもしれない。

オリヴィアは心の中でつぶやくと、嘆息した。

◆
◆
◆

式典が終わるとビュッフェ形式での晩餐が開催される。

そこでは国王夫妻に挨拶をした後は、比較的自由に交流ができる場となっていた。

国王の在位三十周年を祝う催しだ。今首都にいる上流階級の人間全員が勢揃いしていると言っても過言では無い。

アデライン・レインズワースは、オリヴィアの嫁ぎ先を見つけるべく、様々な貴公子へと渡りをつける夫に付き添いながらも、内心では猛烈に腹を立てていた。

(あの女さえ現れなければ、今頃アークレイン殿下の隣にいたのはオリヴィアだったのに……!)

あの女、とはエステル・フローゼスの事である。

アデラインにとっての彼女は、第一王子の婚約者という輝かしい地位を直前で娘から掠《かす》め取った泥棒だった。

アデラインはフランシールの名門、ラ・フォルジュ伯爵家に生まれた。

しかし、政変の結果、国から着の身着のまま逃げなくてはいけない状況になってその生活は一変した。

ローザリアに嫁いでいた伯母を頼ってこの国に逃げてきたものの、彼女にとってのアデラインは厄介者で使用人のように扱われた。そこでのアデラインは、無給でこき使える従妹《いとこ》のフランシール語教師を兼ねた付添人《シャペロン》だった。

そんなアデラインの人生は、従妹の付添人として同行した舞踏会にて、トールメイラーに見初められた瞬間に大逆転した。

特に、生粋のローザリア貴族で名門の出身であるシエラから婚約者を奪い取ったという事実は、アデラインの自尊心をいたく満足させた。

もっとも結婚生活は順風満帆だった訳ではなく、なかなか後継ぎとなる男子が生まれず、次女は死産、三女は生まれつき病弱で、風邪をこじらせて十歳の誕生日目前に亡くなるなど、大きな悲しみもあった。しかし、最終的に四女のオリヴィアの次には跡継ぎになる男の子が生まれたので、『女腹』とさげすんできた義母やトールメイラーの親族を見返せた。

長女の結婚相手は優秀な外交官にして政治家で、現在はローザリアが新大陸に保有する最大の植民地《コロニー》、アメリクスの総督を務めている。後はオリヴィアが第一王子妃になれば完璧だった。

レインズワース侯爵家は名門だ。悪い噂を立てられても、オリヴィアの縁談は国内外からいくつも舞い込んでいる。

しかしどれもがこの国の第一王子《アークレイン》と比べると見劣りする。それがアデラインにはどうしても許せなかった。

現在、目の前ではオリヴィアが一人の青年と談笑している。話し相手の男は、フランシールの外交官だ。トールメイラーが新たな婚約者候補として考えているうちの一人である。

確かどこぞの伯爵家の次男だった気がするけれど、政変後に新設された家柄らしく家名が思い出せない。

(この程度の相手も候補にしなくてはいけないなんて)

楽しそうに会話する娘と青年の姿を正視したくなくて顔の向きを変えた途端、アデラインはエステルの姿を視界の端に捉えてしまった。その瞬間、猛烈な憎悪が湧き上がる。

また、彼女を見ると、もう一人別の人物を思い出して吐き気がした。

脳裏に浮かぶのはルプト族の占い師の姿だ。

フロリカという名のその占い師は、上流階級の間で当たると評判で、アデラインが彼女を呼び寄せたのは、何かの話の種になればと思ったのがきっかけだった。

初めての対面で、アデラインはフロリカが人気になる理由をすぐに理解した。彼女は話術に優れていて、悩みや愚痴の聞き役としてぴったりの人材だったのだ。

彼女が裏社会との繋《つな》がりをほのめかしてきたのは、定期的に呼びだすようになって何回目だっただろうか。それは、エステルへの憎しみを吐露した時だった。

成功するかどうかは別として、金を積めば暗殺者を送り込める――フロリカは小声で囁いてきた。

天秤宮《てんびんきゅう》の奥深くで彼女はアークレインに守られているから、失敗する可能性の方が高い。だけど自分の命を狙う者の存在は、あの女にとっては何よりの嫌がらせになる。

アークレインは第二王子派に命を狙われているから、仮に暗殺者が捕まったとしてもそっちに罪を擦《なす》り付ければこちらには累は及ばない。

殺害を目的として動いて、怪我《けが》でもさせられたら儲《もう》けものだと思いませんか――。

フロリカの言葉はアデラインにとって悪魔の囁きだった。

暗殺が成功、もしくは怪我を負わせた場合の報酬は高かったけれど、手付金はさほどでもなかったので、アデラインはフロリカの話に乗った。しかし彼女はその直後姿を消し、連絡が取れなくなった。

（要は騙《だま》されたという事よね）

大した金額ではなかったとはいえ、レインズワース侯爵夫人であるこの自分がくだらない詐欺に引っかかったのである。もし表沙汰になれば憤死ものだ。

アデラインにとって幸運だったのは、フロリカを呼んで愚痴を吐き散らしていたのを知っているのは、腹心の侍女ただ一人だったという事だ。

夫のトールメイラーは、占いや降霊術などのオカルトを毛嫌いしている。占い師と接触している事を彼に知られるのは嫌だったので、フロリカと会うのは、行きつけの会員制のティールームの個室と決めていた。

この件は自分の胸に納めて忘れると決めたものの、思い出すと腹が立ってくる。

アデラインは内心の苛立ちを収めるため、エステルから顔を背けた。

一章　波乱の予感

定位置である天秤宮の執務室の続き間でレースを編んでいたエステルは、異能の目の力でアークレインの訪れを察知し、慌てて編みかけのレースをソファのクッションの下に隠した。

隣にいたリアが目を丸くする。ノックが聞こえたのはその直後だった。

「エステル、入ってもいい？」

「……どうぞ！」

エステルは、リアがソファから立ちあがり、アークレインを迎える態勢になったのを確認してから入室の許可を出す。するとアークレインがドアの向こうから顔を出した。

「少し間があったけど、もしかして取り込み中だった？」

「えっと……」

「殿下にお知らせしても問題ないと思います。むしろ秘密を暴こうと探られる方がまずいかと……」

躊躇《ためら》うエステルに助言したのは室内にいたもう一人の女官、メイだった。こちらはアークレインのためにお茶の準備をしている。

確かに隠さない方がいいかと思い直し、エステルは正直に事情を伝える事にした。

「婚礼衣装用のレースを編んでいたんです。自分で編んだものを装飾の一部に使いたいなと思って」

「ドレスメーカーのデザイナーと相談して、ドレスの袖口の縁飾りをエステル様が編む事になったんですよ」

メイが補足してくれる。

「なるほど。それは私が見てしまったら大変だ」

この国、ローザリアではお互いの婚礼衣装は当日まで見せないという暗黙の了解があるので、すぐにアークレインは納得してくれた。

「今、そこのクッションの下に隠しましたので絶対に見ないで下さいね」

「見ないよ。結婚式と産前産後の恨みは一生ものだと、聞いてもいないのに既婚者達が教えてくれたからね」

侍従長のハオラン・ツァオと王室護衛官《ロイヤルガート》のネヴィル、キアンの三人だろうか。

エステルは、アークレインに特に信頼されている側近の中の既婚者の顔を思い浮かべた。

アークレインの場合、結婚式では王族の正装である大礼服《コート・ドレス》を身に着けるが、上に羽織るマントは新しく仕立てていると聞いている。どんなデザインなのかはエステルには伏せられているので、当日が楽しみだった。

「自分で作った何かを婚礼衣装にあしらうのは、君の故郷の風習だったよね」

「はい。よくご存じですね」

「婚約者の事を隅から隅まで調べるのは当然だと思うけど？　エステルも今頑張って王室の慣例や年中行事について勉強してるよね？」

「それもそうですね。でもアーク様が、私の故郷の事を知って下さっているのは嬉《うれ》しいです」

エステルの瞳には生き物が持つマナと、その生き物が持つ感情の方向性を銀色の光の明暗として捉える異能が備わっている。喜びや幸福感など、明るい感情を抱いていればマナは明るくなるし、怒りや憎悪など、負の方向を向いていれば昏《くら》く陰る。

ふふ、と微笑みかけると、アークレインの機嫌が上向いたらしく、明るくなるのが視《み》えた。ここに来る時は少し陰っていたのに。

「おいでになる事はまず無いとは思いますが、私達の部屋にも作りかけのヴェールがあるので絶対に覗《のぞ》かないで下さいね」

お茶の準備を終えたメイが、アークレインに釘をさしながらこちらにやって来た。

「ヴェールはリアが作ってくれているんですよ」

エステルはメイの発言の理由を補足する。

冬、雪で閉ざされるフローゼス伯爵領は手工業が発達している。レース編みや刺繍《ししゅう》製品は農村の女性達にとっては大切な収入源だ。

農村出身のリアは、幼少期から裁縫や機織り、レース編みなどを仕込まれてきたそうだ。エステルの侍女《レディースメイド》に、そして女官に召し上げられたので、披露の機会がほとんど無かったのが残念なくらいに美しいレースを編む技術を持っている。リアが大量の糸巻きを使って編むレースは複雑すぎて、エステルにはどうやって編んでいるのか見当が付かない。少しだけ見せてもらった作成途中のヴェールは、ため息が出るほど美しかった。

「エステル様のヴェールは私が編むってずっと決めていたんです」

「仲が良くて何よりだ」

はにかむリアを見るアークレインの目は優しかった。

「そういえば、エステル様の異能、なんだか強くなっていませんか？　今日はノックの前に殿下に気付かれてましたよね」

フローゼス伯爵領にいた頃は、家族の兄にすら秘密にしていた能力だったが、女官として迎えた時に、リアには能力について明かした。といっても、感情が視えるというエステルの能力の全てを知っているのはアークレインと、彼の補佐官を務めるロージェル侯爵クラウスだけで、女官や王室護衛官《ロイヤルガード》といった側近達には、マナが視覚的に捉えられるとしか話していないのだが。

「言われてみればそうかも……」

エステルがいる場所からドアまでは大体四、五メートルと言ったところか。以前はその辺りが直接目視できない場合に感知できる限界だったが、今は精神を集中させると、隣の執務室にクラウスがいるのがわかるので、アークレインと会ったばかりの時よりも確かに感知能力が上がっている。

「それは喜ばしいね。マナの訓練方法を教えて良かった」

「まだ能力を自分の意志で抑えるのはできませんけど……」

「いや、少し良くない知らせがあったから、エステルの能力が上がったのは純粋に喜ばしい」

「良くない知らせって何ですか？」

エステルは首を傾《かし》げた。こちらの部屋に入ってきた時、彼のマナが陰っていたのと何か関係があるのだろうか。

「レインズワース侯爵が倒れて病院に担ぎ込まれたらしくてね、あまり状態が良くないみたいなんだ」

アークレインからもたらされた情報に、エステルは硬直した。

「ここからは込み入った話になるから、君達は席を外してくれるかな」

メイとリアはアークレインの言葉に頷《うなず》くと、心得た顔で部屋を出ていった。

アークレインは、二人の足音が遠ざかるのを確認してから切り出す。

「父上の即位記念式典の時、侯爵家の面々のマナについて報告してくれたよね。侯爵夫人のマナが特に陰ってたって」

どうやら人払いをしたのは、エステルが持つ、『感情の正負が光の明暗として視える』能力の話がしたかったかららしい。エステルは「はい」と頷いた。

現在の天秤宮は、ディアナ・ポートリエがリアに化けて侵入する事件があったばかりなのでピリピリしている。

アークレインだけでなく、周りの側近全員が過敏になっていて、今のエステルはアークレインが同伴できる時以外は庭にすら出られない。社交行事も同様で、出席するのは欠席できなかったり、しない方がいいものだけである。

一昨日に開催された、サーシェスの在位三十周年を祝う式典に出席したのは、欠席しない方がいいとアークレインが判断したからで、彼や側近達に厳重に守られての参加だった。

エステルは、その式典の時に見かけた、レインズワース侯爵家の人々のマナの色合いを思い出す。

エステルを視界に入れた時、侯爵夫人、侯爵、オリヴィアの順でマナの陰りが濃くなった。

「侯爵夫妻は私やアーク様を見かけると、かなり強い負の感情を抱いていました。でもオリヴィア嬢は少し違う印象ですね。未来に目を向けようとされているような気がしました。私の推測なので、本当は違うかもしれませんが……」

あの日のオリヴィアの姿を頭の中に思い浮かべる。彼女は式典後に行われた晩餐の時、新しい婚約者候補と思われる人々と笑顔で会話を交わしており、マナも表情同様明るかった。

なるべくこちらを視界に入れないようにしながら、前向きに色々な貴公子と会話を交わすオリヴィアの姿はエステルにとって印象的だった。

ライルとの婚約が破談になった時のエステルと同じで、悪い噂が囁かれているのに、彼女は俯《うつむ》くことなく背筋をしゃんと伸ばしていた。

かつての自分はどうだっただろうか。

周囲から向けられる悪意あるマナを視るのが嫌で、兄の手に縋《すが》りつくのが精いっぱいだった気がする。

「……私はライルと破談になった時、凄く悲しかったけれど、なんとか気持ちに折り合いをつけたんです。だからきっとオリヴィア嬢も同じなのではと思いました。私の勝手な推測ですけれど……」

「いや、エステルの推測はだいたい当たってると思う。密偵《スカウト》の報告と一致する」

「密偵を侯爵家に送っていらっしゃったんですか？」

「人材にも限りがあるから侯爵の離反宣言を受けた後からだけどね。彼がどう動くのか把握しておきたかった」

アークレインによると、邸《やしき》への人の出入りや、侯爵の動向を監視させていたらしい。用意周到な人である。もっとも、慎重だからこそ今まで生き残ってこられたのだろうけれど。

「使用人の噂話によると、オリヴィア嬢は国外も視野に入れて縁談を探すように侯爵に頼んだみたいなんだ。彼も乗り気でね。でもアデライン夫人はそれが気に入らなくて、大喧嘩《おおげんか》に発展したそうだ。どうも侯爵が倒れたのはその怒鳴り合いの最中らしい」

「そんな……」

エステルは眉をひそめた。自分の事を良く思っていない人物だけど、倒れたと聞くと心が痛む。

「侯爵家はどうなるんですか？　お体が良くなる見込みはあるんでしょうか？」

「もしかしたら厳しいかもしれない。いったんはアデライン夫人が代理を務める事になると思う」

エステルは妃教育の一環で学んだ、レインズワース侯爵家の家族構成を記憶の中から探った。

オリヴィアには姉と弟がいるが、どちらも微妙に年が離れており、姉のユジェニーはアメリクス総督夫人として新大陸の植民地《コロニー》で暮らしているはずである。

侯爵に何かあった場合、相続人は年の離れた弟のヘンリーになるが、彼はまだ十三歳で、現在は首都アルビオンの郊外にあるロイヤル・カレッジに在学中のはずだ。この学校は、王侯貴族の子弟のために作られた寄宿制の男子校である。

「侯爵が回復してくれたらいいけど、そうじゃなかった場合は少し気を付けた方がいいかもしれない。アデライン夫人はかなり酷《ひど》い言葉で君をののしっていたらしい」

「……あの方のマナの陰りは酷かったですから、何となく想像はつきます。参考までに、もしご存じでしたらどんな風に言われていたのかお聞きしても？」

エステルの質問に、アークレインは首を横に振った。

「言いたくない。君を傷付けたくない」

（アーク様や天秤宮の皆が良くしてくれるから、それくらい平気なのに……）

「アーク様は過保護です」

「そうだよ。自分のものは大切にする主義なんだ。だから諦めて大人しく守られて欲しい」

「…………！」

真剣な表情で言われて頬が熱を帯び、エステルは思わず視線を逸らした。

「……ありがとうございます」

どうにか感謝の気持ちを伝えると、アークレインがクスリと笑う気配がした。

「……もしかして、また私をからかいましたか？」

「いや、照れる顔が可愛《かわい》いなと思って」

「……それはどうも、ありがとうございます？」

「エステルの反応は面白いね。あまり動揺しなくなったのも、それはそれで悪くない」

「やっぱりからかってるじゃないですか」

堪えきれなくなったのか、遂《つい》にアークレインは笑いだした。

エステルは拗《す》ねた顔を作ると、メイが淹《い》れてくれたお茶に手を伸ばす。

「からかったつもりはなかったんだ。これは本当。だから怒らないで欲しいな」

「別に怒ってませんよ。会話の流れ的にこういう顔をした方がいいのかと思っただけです」

アークレインは虚をつかれたような顔をしてから小さく息をついた。

「何だろう。何故か今、負けたような気分になってる」

「本当ですか？　嬉しいです」

今度はエステルが笑う番だ。

アークレインは軽く肩を竦《すく》めると、ソファの背もたれにもたれかかった。しかしすぐに姿勢を正し、真剣な表情をこちらに向けてくる。

「本題を忘れるところだった」

「本題、ですか？」

「ああ。アデライン夫人が当主代行を務めるという事は、言い換えれば、君をよく思っていない人物が侯爵家の実権を握るという事だ。何か仕掛けてきてもおかしくない。もちろん全力で守るつもりだけど、エステルにも気を付けて欲しいなと思って」

「言われてみればそうですよね。ご忠告ありがとうございます。十分に気を付けます」

守られる者にも、そういう立場だという意識が必要なのだと以前ハオランから習っている。エステルは素直に頷いた。

◆　◆　◆

首都アルビオンの郊外には、上流階級のための病院がある。

そこに、オリヴィアは弟のヘンリーと共に、トールメイラーの見舞いに訪れていた。

ヘンリーの通うロイヤル・カレッジは、名門というだけでなく、厳格な校則でも知られていて、夏と冬の長期休暇の時以外は許可を取らなければ外出できない。

今回ヘンリーは、授業のない日曜日を利用して、父の見舞いのために日帰りで寄宿舎を出てきていた。


病院の内装は、上流階級向けを標榜《ひょうぼう》しているだけあって富裕層の邸宅並みに豪奢《ごうしゃ》だった。トールメイラーが入院しているのは、その中でも特別に設けられた個室である。

看護婦の案内を受けて病室に入ったオリヴィアは、ベッドに横たわる父の傍に移動し、腕の中に抱えていた薔薇《ばら》の花束を差し出した。

「お父様、うちの温室で育てた薔薇です」

母、アデラインやオリヴィアの髪の色に共通する淡いピンクの大輪の薔薇は、レインズワース侯爵家で作り出された品種で、レディ・アデラインという名で品種登録されている。

名付けたのはトールメイラーで、この薔薇はレインズワース侯爵夫妻のロマンスの象徴とも言える特別な存在だった。

「いい香りですね。きっとお父様にも届いていますよ」

看護婦が声を掛けてくる。

「だといいんですけど」

オリヴィアはため息交じりにつぶやいた。

トールメイラーはベッドの上で静かに眠っている。アデラインとの口論の最中に卒倒してから今日で三日目だが、まだ意識が戻らない。

「今日はご子息もご一緒なんですね」

「ええ、ようやくカレッジの外出許可が取れたので。申し訳ありませんが、少し家族だけにしていただけますか？」

席を外すよう頼むと、看護婦は快く頷き、こちらに一礼すると病室を出ていった。

「お姉様、お父様は回復されますよね……」

家族だけになってから、ヘンリーは不安そうな目をオリヴィアに向けてくる。

姉弟の中でヘンリーだけが父親似だ。その父親に似た面差しを視界に入れると涙が込み上げてくる。

「お医者様からは、あと二日意識が戻らなければ覚悟を、と……」

オリヴィアは小さな声でヘンリーに告げた。

貴族はマナが豊富なので、平民より自然回復力が高く頑丈にできている。トールメイラーは侯爵家の当主たる高位貴族らしく、高いマナの持ち主だ。その彼が、これほど昏睡《こんすい》しているというのはかなり深刻な状況と言えた。

医師からは、仮に意識が戻ったとしても、うまく言葉が出てこなかったり、体が麻痺したりするなどの後遺症が出る恐れがあると宣告されている。

眠り続ける父の体には、水分と栄養を送るための管が繋がれていて痛々しかった。

◆　◆　◆

病院を出たオリヴィアは、ヘンリーをロイヤル・カレッジの寄宿舎に送り届けてから帰路につく。

レインズワース侯爵家が首都に構えるタウンハウスは、貴族の邸宅が立ち並ぶ一角にあった。

「お嬢様！　お帰りをお待ちしておりました！」

玄関ホールに入ると、執事《バトラー》が待ち構えており、オリヴィアに駆け寄ってくる。

「奥様が役所からの帰り道でお倒れになられて……」

「お母様まで⁉」

オリヴィアはギョッと目を見開いた。

トールメイラーの容体が芳しくないので、今の侯爵家は代替わりを考えなければいけない状況になっている。

しかし嫡男のヘンリーはまだ十三歳だ。彼が爵位を継ぐにしても、母親のアデラインが後見人となり、すべての手続きを代行する必要がある。今日、アデラインが役所に向かったのは、その手続きのためだったはずだ。

トールメイラーの容体以外にも、侯爵家のこれからも考えなければいかず、アデラインは憔悴《しょうすい》しきっていた。

父が倒れた状況も悪かった。オリヴィアの縁談が原因で夫婦喧嘩になって、怒鳴り合いに発展した時に突然だったから、母は酷く自分を責めていた。

「お母様の具合は!?　今どちらにいらっしゃるの!?」

「幸い近くを通りかかった親切な方が介抱してくれて……今は寝室でお休みになっています」

「そう……」

「お医者様を呼んで既に診ていただいています。恐らく過労だろうと。しっかり休んで栄養を摂《と》るようにと仰《おっしゃ》って、薬湯を処方して下さいました」

オリヴィアは執事の報告にひとまず安堵《あんど》の息をついた。


アデラインの寝室に行くと、彼女はベッドの中で半身を起こし、見知らぬ青年と談笑していた。

オリヴィアはピンと来た。きっと母を助けてくれたという人物に違いない。

「オリヴィア、紹介するわ。ロバート・テイラーさんよ。私を助けてくれたの」

「初めまして、オリヴィア嬢。ロバート・テイラーと申します」

平凡な名前そのままの、素朴な印象の青年だった。

癖のある焦げ茶の髪は重たげで、前髪が長いせいで目が半分隠れてしまっている。服装も既製品なのか、体に合っていない大きいサイズのものを着ているので野暮ったい。

「初めまして、オリヴィア・レインズワースです」

挨拶を返しながら、オリヴィアは不躾《ぶしつけ》に見えないように気を付けながらロバートを観察した。

よく見れば顔立ちは整っているので服や髪型が勿体《もったい》ない。特に前髪を上げるか切るかすれば、随分とスッキリするだろうに。

「ロバートさんはアルビオン工芸美術学校の学生さんなんですって。画家を目指していらっしゃるのよ」

「まあ、絵を描かれるんですか？」

「はい。画家として食べていけるようになるのが理想ですが、駄目でも画商とか美術教師とか……絵に関わる仕事をしたいと思っています」

困ったようにはにかむロバートの手は確かに絵を嗜《たしな》む者のそれだった。爪の間に絵の具が入り込んでいる。

「母を助けていただきありがとうございました」

「一番に駆けつけたのが僕だっただけです」

「たまたま近くでスケッチをされていたのよ」

アデラインの手の中には、風景を描いたクロッキー帳があった。

「こちらはロバートさんが描かれたものですか？」

「はい。少し恥ずかしいのですが……」

「拝見しても構いませんか？」

「お嬢様にも興味を持っていただけるなんて嬉しいです」

やり取りを聞いていたアデラインは、オリヴィアにクロッキー帳を差し出してきた。

頁をめくると鉛筆で描かれた風景画らしきものが何枚もある。

「お上手ですね」

かなりざっくりとしたラフだったので正直判断できなかったが、こう言っておけば角が立たない。

「お礼代わりに何点か絵を買わせていただこうかなと思ってるの」

「奥様に気に入っていただけるようなものがあればいいんですが……今度こちらに何点か持参させていただきます」

「その時は同席させて下さい。私もあなたの絵を見てみたいです」

（……この人はある意味幸運ね）

母を助けたのは偶然だったのだろうが、学生の間から貴族との繋がりを手に入れたのだから。

画家や音楽家として生計を立てていくためには、本人の技量だけでなく運や人脈も重要だ。特に上流階級のパトロンやパトロネスが獲得できれば大きな力となる。

オリヴィアは、再びロバートのクロッキー帳に目を落とした。

◆◆◆

『今は一族の結束を固める時期かと存じます。オリヴィア嬢のお相手には是非当家の次男をご検討下さい』

『事業計画書を見ていただく約束になっていまして、是非一度奥様とお話をさせていただきたいです』

『実は侯爵閣下と進めていた投資の話が――』


邸に届いた手紙を前に、アデラインはため息をついた。

破り捨てて燃やしてやりたいが、トールメイラーの様子伺いの体を取っているので返事を書かなければいけないのが鬱陶《うっとう》しい。

今のアデラインは、侯爵家の日々の雑務やトールメイラーの入院に関わるあれこれに追われ、疲れ切っていた。

夫が倒れた直後は、約束無しで突撃してくる親族や友人を名乗る者達に煩わされた。一々相手をしていてはキリがないと悟ってからは門前払いしているが、すると今度は手紙攻撃が始まった。

どれもこれもろくでもない文面ばかりで頭が痛くなってくる。連中の狙いは侯爵家の資産に違いない。代替わりに関わって何かおこぼれに与《あずか》れないか、飢えた狼《おおかみ》のように狙っているのだろう。

本当にこちらを思ってくれるのなら、そっとしておいてくれるのが一番だ。

「あの……奥様……」

私室の扉がノックされ、入室の許可を出すとアデライン付きの侍女《レディースメイド》が顔を出した。

「ロバート様がいらっしゃいました」

アデラインは侍女がもたらした知らせにパッと顔を輝かせた。

見た目は野暮ったいが聞き上手な彼は、最近のアデラインの癒やしである。

浮き立ちながら応接室に向かうと、ロバートはどこか居心地悪そうな様子で座っていた。

「あの、奥様、追加の絵をお持ちしました……」

ロバートの目の前には、布に包まれた絵らしきものがある。

「ありがとう。早速見せてもらうわね」

布を取り払うと、テレピン油の匂いが鼻についた。

彼の絵は抽象的なので、何を描いているのかはよくわからないのだが、不思議と心を打たれる。

だから試しに侯爵家出入りの画商に紹介してみようとアデラインは考えていた。

（でも、この格好ではね……）

もさもさとした髪も、体に合っていない服装も頂けない。

「ロバート、あなたを知り合いの画商に紹介しようと思うんだけど、その格好は良くないわ。服を贈ってあげるから、ちょっと採寸していらっしゃい」

「えっ……」

ロバートは面食らっている。

「いいから」

アデラインが念押しすると、心得た顔で侍女が進み出た。

「どうぞこちらへ」

侍女はぐいぐいと強引にロバートを別室へと引っ張っていった。


やっぱりロバートの絵はいい。

じっくりと鑑賞していると、どこか疲れた様子でロバートが戻ってきた。

「奥様……服を本当に作っていただいてもいいんでしょうか？　先日は絵具をたくさん買っていただいたのに……」

「気にしなくていいわ。私がやりたくてやってるだけだから」

アデラインはにこやかに微笑んだ。

「やっぱりあなたの絵は素敵ね。見てると気持ちが落ち着いてくるの」

「ありがとうございます」

頬を染め、小さくなるロバートは素朴で可愛らしい。アデラインは目を細めた。

「でもそうね、もしお礼をしてくれるつもりがあるのなら、いつものお茶を淹れてくれない？」

「ええ、あれでいいのなら喜んで」

アデラインの侍女は優秀だ。ロバートが快く頷いたのを確認すると、ウェイティングルームから手早く茶器と魔導ポットを準備してこちらに運んでくれた。

ほどなくして甘い香りが部屋いっぱいに広がり、ロバートがカップを持ってこちらにやって来る。

「どうぞ」

「ありがとう」

アデラインはカップを受け取ると、早速口をつけた。

このお茶はロバートの母がブレンドした特別なハーブティーで、精神を落ち着かせる作用があるそうだ。

オリヴィアの口には合わなかったようだが、アデラインはこのお茶を非常に気に入っていた。

「……お嬢様とはその後いかがですか？」

どこかおどおどとした様子で尋ねられ、アデラインは苦笑いした。

「夫が倒れた事情が事情だから、なかなかうまく話せないわね。嫁ぐなら国外にという考えは変わらないみたい。エステル・フローゼスさえ現れていなかったら今頃は……と思うと本当に悔しいわ」

「そうですね。一国の王妃にだってなれる家柄のお嬢様なのに勿体ないですよね」

「そうなのよ！　夫が連れてきた候補は外交官だの伯爵家の跡取りだの、どれもパッとしなくて……せめて上の娘と同じくらいかそれ以上の男性を見つけてもらわないと、オリヴィアが可哀想だわ」

「悔しいですよね。ぽっと出の田舎貴族の女に取られたんですから……」

低音で良く響くロバートの声は、アデラインの心にするりと入り込んでくる。

やっぱり彼はいい。アデラインを誰よりもわかってくれる。

アデラインは促されるままに思いの丈をロバートに吐き散らした。

トールメイラーが入院する病院から邸に帰ってきたオリヴィアは、ロバート・テイラーが来ているという使用人の報告に眉をひそめた。

「またいらしてるの……？」

最近のアデラインは、過労で倒れた自分を助けてくれた画家の卵が随分と気に入ったようで、毎日のように邸に呼びつけている。

思い返せば絵を見せにやって来た彼を、母が食事に招待したのが始まりだった。

大ローザリア島西部の地方都市出身だという彼は、父親が肖像画家で、子供の頃から絵に親しむ生活を送っていたので自然と画家を志すようになったそうだ。

しかし首都の美術学校に入学したまでは良かったが、不幸にも昨年父親が病死し、生活が一変したという。

美術学校は学費や生活費だけでなく画材代もかかる。父の遺産をやりくりし、夜はコーヒーショップで働きながら、極力切り詰めて夢に向かって努力している——そんな身の上話を聞かされたアデラインは彼にいたく同情した。

かくしてロバートは頻繁に邸に出入りするようになり、瞬く間にアデラインのお気に入りになった。

この時点で少し怪しいなとは思ったのだ。

しかしこちらにはアデラインを助けてもらったという恩があったし、張り詰めた糸のようになっていた彼女にとって、聞き上手なロバートの会話は良い息抜きになっているようだったので、オリヴィアは何も言えなかった。

だけどここ数日の母の態度は目に余る。

父の病院に行かなくなってしまったし、それをやんわりと諫《いさ》めた執事を邸から叩き出してしまった。


(あの日からよね……)

オリヴィアは、アデラインの態度が急速に変わるきっかけになった出来事を思い出し、深くため息をついた。

画商に紹介するため、という名目で仕立てた服をロバートに贈った日の事だ。あの日から加速度的にアデラインは彼に傾倒していった。

もさもさとした髪を整え、体に合った服を着用したロバートは、見違えるほどすっきりとした顔立ちの美形へと変化した。

しかもその顔は、アデラインが大好きなオペラ歌手、チェスター・アストリーにそっくりだった。

あの男は危険だ。一刻も早く引き離さなければ。

いつの間にやらロバートは、母だけでなく、邸内の主要な使用人まで自分の味方にしていた。その中にはオリヴィアの侍女も含まれている。

姉が傍にいてくれたら少しは違ったのかもしれないが、彼女は現在海の上だ。父が倒れたと連絡してからすぐに船に飛び乗ったとは聞いているが、アメリクスからローザリアまでは、最新の快速魔導船を使ったとしても二週間以上かかる。

上級使用人《アッパーサーヴァント》の中で、唯一ロバートに批判的だった執事が追い出された今、ロバートを何とかできるのは自分しかいない。

オリヴィアは決意すると、アデラインとロバートがいる居間へと向かった。

「お帰りなさい、オリヴィア！　ロバートがまた絵を持ってきてくれたのよ」

入室するなりアデラインが声を掛けてきた。テーブルには大きな油絵が置かれており、それを挟んでロバートと談笑していたようだ。

まるで少女のようにはしゃぐアデラインと垢《あか》抜けたロバートが並んだ姿は、昼下がりの逢瀬《おうせ》を楽しむマダムと愛人に見えた。

彼の描く絵は抽象的すぎて、オリヴィアには何がいいのかさっぱり分からない。しかしアデラインや、レインズワース侯爵家と付き合いのある画商には好評だ。

「……絵の話は後で聞きますので、少しお時間を頂けませんか、お母様」

オリヴィアは憂鬱《ゆううつ》な気持ちになりながらもアデラインに話しかけた。

二章　異変

二月後半から三月末までの社交界は大きな行事が続く。

まずサーシェスの即位記念式典があり、次は戦没者追悼式典、最後に狩猟大会だ。

この戦没者追悼式典は、三十五年前にフランシールで起こった政変をきっかけに、ヘレディア大陸全土に飛び火し、四年間続いた大規模な戦争の死者を悼むためのものだ。

サーシェスの前の王、アークレインの祖父にあたるエゼルベルト王は、この国を大海の覇者と呼ばれる大国に育て上げた名君だが、その唯一の汚点がヘレディア大陸戦争への出兵だと言われている。

フランシールとの同盟を盾に、更なる海外領土拡大のために出兵したローザリアは、泥沼化した戦争において、五十万人と言われる多数の死者を出した。フローゼス伯爵家でも、オスカーとは別の叔父がこの戦争で亡くなっている。

この死者数には、各地の植民地《コロニー》から動員した兵や民間人も含まれているのだが、正確な実数は把握しきれていないのが実情である。

各国の間で終戦条約が結ばれた一年後、責任を感じたエゼルベルト王は退位してサーシェスに譲位した。その事実がまた、名君唯一の汚点をより強調している。

ドレスコードである黒の衣装を身にまとったエステルは、アークレインの手を借りて馬車から降り立った。

ここは式典の会場である中央公園だ。目の前の広場には、ヘレディア大陸戦争の犠牲者の慰霊碑が建てられている。

年末に移動遊園地が開催されていたのと同じ場所だが、今はその時とは打って変わって、公園全体に厳粛な雰囲気が立ち込めていた。

地面に降り立つと同時に、エステルの体はアークレインのマナに包み込まれる。

最近の外出時はいつもこうだ。エステルを守るため、アークレインは自身の異能、念動力を使って壁を張り巡らせてくれる。

彼の豊富なマナを持ってしても二時間程度が限界らしいので、遠慮して「そこまでしなくてもいい」と言ってみた事もあるのだが、聞いてくれないので、エステルはありがたく守られる事にしていた。

「ありがとうございます」

少し息苦しいけれど、気持ち自体は嬉しい。エステルは感謝の気持ちを込めてアークレインに微笑みかけた。

今日の彼は陸軍近衛連隊の軍服姿だ。昨年サーシェスが倒れた時に軍を退役したものの、彼は王族の慣例で近衛連隊の名誉連隊長の称号を所持しているためである。何を着ても様になる人なので、今日の姿も女性の注目を集めるに違いない。

この戦没者追悼式典は先日の即位記念式典と一緒で、参加した方が良いと判断された行事である。

エステルは戦没者遺族という立場だし、他のフローゼス伯爵家の面々――シリウスと叔父夫婦は現在領地を離れられない状況になっているからだ。

フローゼス伯爵領は飛竜の生息地を領内に抱えている。

例年であれば全員でこの式典に参加してから領地に戻るのだが、今年は暖冬の影響で雪解けが早く、それに伴って竜伐――冬眠中の竜を巣穴で狩る間引き作業――の時期も早めなくてはいけなくなったのだ。

ヘレディア大陸戦争は、エステルが生まれる前に起こった戦争なので、戦死した叔父とエステルに直接の面識はない。しかし、首都にいるのに遺族が、それも第一王子の婚約者という立場の人間が参加しなかったらエステルの評判が悪くなってしまう。

そしてエステル自身も、生前の両親やオスカーが持つこの式典への思い入れの強さや、故人を偲《しの》ぶ姿を見てきたから、なるべくなら出席したいという思いがあった。

なお、式典のメインイベントである献花が終わったら、エステルは体調不良を理由に一足先に天秤宮に戻る予定になっている。本当は式典の後も、遺族を支援するためのチャリティーコンサートやら晩餐《ばんさん》会やら、一日中戦没者や傷痍《しょうい》軍人のための催しが詰まっているのだが、そこまではアークレインのマナが持たないのだ。

昨年まではしっかり最後まで参加していた事を思うと罪悪感が湧く。と、同時に少しだけほっとする感情もあって、エステルはそんな自分に自己嫌悪を覚えた。

と、いうのも――。


「ようこそ王族席へ、エステル嬢。本来、ここはまだあなたが入れる場所ではないのだけれど」

アークレインと一緒に慰霊碑の一番近くに設けられた王族席に向かうと、既に着席していたトルテリーゼがこちらに向かって、マナにも口調にも不快感を滲《にじ》ませて声を掛けてきた。

「やめなさい。戦没者を悼む気持ちは皆同じだ。馬場で襲撃に遭ったそうだな？　そんな事件の直後なんだ。アークレインが婚約者を傍に置いて守りたいと思うのは当然だ」

トルテリーゼを嗜《たしな》めたのはサーシェスだ。

ディアナがリアに化けて天秤宮に侵入した事件は伏せられているが、その前の乗馬の練習中にボウガンで襲われた事件についてはサーシェスに報告を入れている。

今もまだ犯人は捕まっていないが、サーシェスは物言いたげな目をトルテリーゼに向けた。

「恐ろしいですね。国家転覆を狙う過激派のしわざかしら」

彼女は表情一つ変えずに言い切ると、ツンと顔を逸らした。

「どうぞおかけになって。事情が事情ですもの、目を瞑《つむ》って差し上げます」

即位記念式典の時から王妃のマナは常に陰っている。

以前王立歌劇場《ロイヤル・オペラハウス》に招かれて、一緒に観劇した時に視《み》たちぐはぐな感情は勘違いだったのか、それとも別に理由があるのか、考えると頭が痛くなるので、エステルは思考を放棄するとアークレインの隣に座った。

現在のエステルは結婚前だから本当は王族席に座る資格がない。だけどこの式典に参加するにあたって、アークレインはエステルを守るため、第一王子としての権力を使って無理やりエステルの席を作った。それはつまり、式典の最中国王夫妻の近くで過ごすという事だ。誰だって気後れするし、憂鬱になるに決まっている。

式典には参加したい。でも王族席には座りたくない。トルテリーゼの近くなのが特に嫌だ。しかし身の安全を確保するためにはそれしかなくて――。

エステルの気持ちは何と表現したらいいのかわからないくらいにぐちゃぐちゃだった。

しかも、席についた瞬間から雑多な感情がエステルに向けられる。

前回の即位記念式典の時から圧迫感が凄いなと思っていたが、もしかしたら感知範囲が上がったせいなのかもしれない。

全てが負の感情ではないが、昏いマナの方が圧倒的に多い。きっと『なんでこいつがこの席に』と思われているに違いない。

エステルは心の中でため息をつくと、平常心を心がけて慰霊碑に視線を向けた。

(気にしない)

自分に言い聞かせる。そして一番傍にあって、自分を包み込むマナに意識を集中させる。

アークレインのマナは少し陰っている。ちらりと彼の様子を窺《うかが》うと、気遣わしげにこちらを見ていたので心配しているせいだとわかった。

(大丈夫ですよ)

心の中でつぶやきながらエステルは彼に微笑みかける。

すると、アークレインはわずかに驚いた表情をしてから目元を緩めた。

◆◆◆

戦没者追悼式典のメインイベントは、慰霊碑への白薔薇の献花だ。と言っても、使用されるのは紙で作られた造花である。

生花ではなく造花を用いるのは、最後に燃やすからだ。

式典での献花が終わった後、献花台は市民にも広く開放される。一週間の献花期間を設けた後、紙の薔薇は盛大に燃やされ、最後に残った灰は、川の彼方にあるとされている死者の国に届くようにと願いを込め、遺族の手で首都の中央を流れるアルビオン川に流される。

献花は国王から始まり、それからは席次順に慰霊碑の前に進み出る。国王の次は王妃、アークレイン、そしてエステルの順番だった。

分不相応な順序にいたたまれない気持ちになるが、(気にしない)と再び自分に言い聞かせた。

今日のこれはエステルの身を守るための特別扱いだ。エステルだって命は惜しい。

(だから仕方ないのよ)

もし批判するのならエステルと同じ立場になってから言って欲しい。大抵の人は仕方ないと思ってくれるはずだ。

エステルは平常心を心掛け、背筋をピンと伸ばしてアークレインに続いて献花した。

――異変に気付いたのは、席に戻ろうとした時だった。

式典の参加者の中に、マナの視え方がおかしい人物がいる。

(白い……)

銀色の光として見えるはずのマナが、その人だけ白い霧がかかったような状態になっており、感情の色が見えない。

こんな状態のマナは初めて視た。エステルはあからさまにならないように注意しながら、それが誰なのかを確認する。そして凍り付いた。

オリヴィア・レインズワースだった。

こっそり周囲を観察したところ、レインズワース侯爵家から参加しているのは、どうやら彼女一人のようだった。

献花の順番が来ると彼女は席を立ち、慰霊碑の前に設けられた献花台に向かって歩いていく。その姿はいつもと同じで優雅だ。しかしマナが白い霧に妨げられてよく視えないせいで、どこかこの

世のものではないような印象を受けた。

（どうして……）

何かの魔導具、もしくは古代遺物《アーティファクト》の影響だろうか。

たった一人だけあんな風にマナが視えるなんて、他には思いつかない。エステルは固唾《かたず》を呑《の》んでオリヴィアを凝視した。

◆　◆　◆

体調不良という言い訳は、オリヴィアの事を考え込んで青ざめていたおかげかすんなりと通り、エステルは一足先に天秤宮に戻る事になった。

トルテリーゼからは、『もし二日後くらいに私が寝込んだらあなたのせいね』という嫌みを貰ったが、アークレインのマナにも限りがあるので仕方がない。

天秤宮まではアークレインが送迎してくれる。その過保護ぶりに国王夫妻は呆《あき》れ返っていたが、全てはエステルの身を守るための行動だ。

彼は、この後のチャリティーコンサートに遅れて参加する予定なので、きっと熱愛ぶりが明日の新聞で書き立てられるのだろう。世間でのエステルは、一途《いちず》な王子様に情熱的に愛される『灰かぶり姫《シンデレラ》』になっている。

それが真実なら、と思う一方で、優越感を覚える自分も存在してエステルは自嘲の笑みを浮かべた。

「エステル、式典の途中から様子がおかしかったけど原因は？　本当に体調が悪くなった？」

馬車に乗り込み二人きりになると、早速アークレインが問い質《ただ》してきた。

「……体調は悪くありません」

「なら理由は？　もし妙なマナを感知したのなら、指輪で教えるように伝えていたと思うんだけど」

「あ……」

そうだ。指輪の存在を忘れていた。エステルは、常に婚約指輪と一緒にアークレインのカフスと繋がる魔導具の指輪を身に着けている。

危険が迫っている印象ではなかったので、使おうという考えにならなかった。

「申し訳ありません。悪意ではなかったのですっかり失念していました」

エステルは指輪をはめた左手を右手で握り込むと、向かい側に座るアークレインに頭を下げた。

すると即座に謝られる。

「すまない、責めるような言い方になってしまった。そんなつもりではなかったんだ」

アークレインの表情は曇っていて、心配してくれているのだと伝わってくる。

「わかっています。私もいけなかったんです。悪意ではなくても、おかしなマナを視たらお知らせするべきでした。次からは気を付けます」

「……ごめん」

このままでは謝り合いの堂々巡りだ、エステルはふるふると首を振ると、意を決して本題を告げた。

「オリヴィア嬢のマナが変だったんです。まるで白い霧がかかったようになっていて……あんな状態のマナを見たのは初めてです」

「……エステルの目には、マナは銀色の光に視えるんだったよね」

「はい。心臓を中心に渦巻いて視えます。色々な人のマナを視てきて気付いたんですが、心臓の鼓動と関連しているような気がします」

「なるほど、マナの発生源は心臓だからかな」

アークレインは自分の胸元に視線を落とした。

「オリヴィア嬢ですが一瞬亡霊のように見えたんです。でも、その割に肌の血色は良かったので……何かの魔導具か、古代遺物《アーティファクト》の影響を受けているのではないかと思いました」

「……エステルにはそう視えたんだね」

アークレインはつぶやくと、難しい顔をしながら馬車の座席に背中を預けた。

「教えてくれてありがとう、エステル。この後の行事でのオリヴィア嬢の様子は気にかけておく。君は天秤宮で待っていて欲しい」

「はい」

「……と言っても、君の性格だと気にしてしまうんだろうな……。戻ったらちゃんと報告する。今日は遅くなる可能性が高いから難しいかもしれないけど、明日には必ず時間を作る」

どんなに遅くなっても待ってます——と、伝えようとして、エステルは直前で踏みとどまった。

それは自分の我が儘《まま》だ。これからアークレインは一日国王夫妻と過ごすのだ。疲れて帰ってくるに決まっている。

「あの、急ぎませんから。お昼でも夜でもいいので、明日アーク様のご都合のいい時に教えていただけると嬉しいです」

そう告げると、アークレインは苦いものを含んだ笑みを浮かべた。

「エステルは聞き分けが良すぎる。もう少し自己主張してもいいのに」

「……無理です」

かつてアークレインは、オリヴィアの傲慢《ごうまん》な態度が気に入らないから、彼女に代わる別の候補を探しているとエステルに告げた。その言葉が頭の中にずっと棘《とげ》のように突き刺さっている。

どこまでが彼の許容範囲なのかわからないのだ。聞き分け良く、わきまえているように振る舞うしかない。

アークレインが好きだから嫌われたくないという気持ちだけでなく、第一王子である彼の不興を買ったら、兄や実家のフローゼス伯爵家はどうなるのかと考えると恐ろしくもある。

「そうさせているのは私、か……」

聡《さと》い人だ。エステルの一言で我が儘を言えない理由を察したらしい。

「そんな君だから……」

アークレインは何かを言いかけて、途中で黙り込んだ。

続く言葉は何だろう。首を傾げるが、ややあって、「何でもない」と言われてしまう。

気になるけれど聞けなくて、そのまま天秤宮に着くまで馬車の中は気まずい沈黙が続いた。

◆　◆　◆

アークレインとの時間が取れたのは、翌日の午後になってからだった。

彼の執務室に呼び出されたエステルは、普段そこにいる事が多いクラウスやハオランだけでなく、アークレイン付きの王室護衛官《ロイヤルガード》であるキアンに、朝から姿が見えなかったニールとメイの姿があったので目を見開く。しかも全員一律にマナが陰っていた。

「待たせてごめん。エステルに話す前に、少し皆と協議したい事があったんだ」

「いえ、殿下がお忙しいのはわかっていますから……むしろお時間を取っていただきありがとうございます」

自分が一番後回しなのか、と卑屈な考えが頭の中に浮かんで傷付くが、その気持ちをエステルは必死に抑えた。

この人に関わると、心が狭くなる自分が嫌になる。

首を振ったエステルに対し、アークレインは苦笑いを浮かべた。

「……そうだったね、エステルはそういう性格だった。そこに掛けて」

我慢しています、とは言えなくて、エステルは曖昧に微笑むと、勧められるままにソファのアークレインの向かいの席に腰掛けた。彼の後ろには皆が勢ぞろいしているので迫力がある。

「何から話そうか……とりあえず昨日の話からがいいのかな」

アークレインは前置きをしてから、昨日、式典の後に開催されたチャリティーコンサートにオリヴィアの姿はなかったと教えてくれた。

「エステルと同じで式典だけで帰ったみたいなんだよね。侯爵は入院中、アデライン夫人も心労で倒れたという理由で欠席だったから、何も知らなかったら私も納得したと思う」

「えっ……アデライン夫人も倒れたんですか……？」

「オリヴィア嬢から受付の職員にそう説明があったみたいだ。……でも残念ながら、それは密偵《スカウト》からの報告で把握している状況と食い違うんだよね」

「どういう事ですか？」

エステルは眉をひそめた。

「アデライン夫人が一度倒れたというのは本当らしいけど、今は既に回復して、楽しそうに過ごしているそうだよ」

「楽しく……？　侯爵が入院中なのに？」

眉をひそめたエステルに、アークレインもまた渋い表情になった。

「……ある若い男に入れあげているみたいなんだ」

「は、え……、それって、愛人……？」

エステルはぽかんと目と口を開けた。

「客観的にはそう見えるね」

「待って下さい、確かレインズワース侯爵と夫人は、運命的な出会いをして結ばれたはずですよね？」

トールメイラー・レインズワースが若かりし頃、シエラという婚約者がありながら、戦火で国を追われた亡命貴族《エミグレ》の令嬢、アデラインに心を奪われ、シエラを捨ててアデラインの手を取ったロマンスは有名だ。

侯爵夫妻の関係は今も良好で、トールメイラーが倒れる前は社交界のあちこちで夫婦仲良く出かける姿が目撃されている。

「侯爵が倒れた原因が原因だからね……私も初めは現実逃避でもしているのかなと思っていたんだけど……」

アークレインは難しい顔をしながら、密偵が探ってきたレインズワース侯爵家の最近の出来事を、既にエステルが知っている情報も含めて順序立てて教えてくれた。


トールメイラーが倒れたのは、オリヴィアの結婚相手について夫婦喧嘩をしていた時だった。そのせいでアデラインは随分と自分を責めたようだ。

トールメイラーの容体は思わしくなくて、結局侯爵家は代替わりの方向で手続きを進める事になった。しかし、侯爵家の相続人である嫡男のヘンリーはまだ十三歳だ。母親であるアデラインが後見人として立ち、息子が成人するまで当主代行を務める事になる。

トールメイラーの見舞い、代替わりの手続き、侯爵家の雑務、周囲からの問い合わせの対応など、やらなければいけない事が山積みで、アデラインは精神的にも肉体的にもかなり追い詰められた。

その結果、彼女は首都の役所街から馬車の停車場まで戻る途中に倒れたそうだ。その時、颯爽とアデラインを助けたのが、件《くだん》の若い男らしい。

「名前はロバート・テイラー。アルビオン工芸美術学校の絵画科に通う学生という触れ込みでね。素朴で穏やかな雰囲気の持ち主で、瞬く間に夫人の心の中にするりと入り込んだようなんだ。一応学校側に問い合わせて、在籍しているという確認も取れている」

ロバートは画家の卵だ。彼の描いた絵もアデラインの興味を引いたようで、パトロネスとして支援すると決めたらしい。

そして知り合いの画商に紹介するべく服を仕立ててやり、身なりを整えさせたところ――。

「チェスター・アストリーって知ってる？　上流階級のご婦人方の間で大人気のオペラ歌手なんだけど。彼そっくりの顔が出てきたらしい」

聞き覚えのある名前だ。眉をひそめたエステルに対し、アークレインは物憂げな表情で尋ねてきた。

「エステル、この話を聞いて何か連想しなかった？」

ぱっと頭に浮かんだのは、ディアナ・ポートリエがリアそっくりに化けて天秤宮に侵入した事件だ。

「……私は偽リアを連想しましたがアーク様もですか？」

話を本題に戻すと、アークレインは頷いた。

「あんな事があったばかりだからね」

ディアナが天秤宮に侵入した事件が解決してから、まだ一カ月も経《た》っていない。

「アデライン夫人は元々チェスター・アストリーが大好きでね。公演には必ず駆け付けていたみたいだよ。そこにチェスターそっくりの男の登場だ。夫人は一気に男に傾倒し、毎日のように邸《やしき》に呼びつけたり、画材屋やらテーラーやら、ロバートに貢ぎ始めた。これだけならきっと見逃したと思うんだけど……使用人の噂話を聞き取って総合したところによると、ロバートは短期間で夫人の心を捉えただけではなく、夫人付きの侍女《レディースメイド》や女中長《ハウスキーパー》など、夫人の周囲も順番に手懐《てなず》けていったらしいんだ。もちろん全員が全員、好意的な訳ではないんだけどね」

「気持ち悪いですね……」

「誰だってそう感じるよね。どうしたものかと思っていたら、今度はロバートに批判的な立場だったはずのオリヴィア嬢の様子もおかしくなった。急にロバートや夫人と仲良く外出を始め、それまで毎日行っていた病院通いもやめてしまってね……。これが四日前の話」

エステルは啞然《あぜん》とした。

「今レインズワース侯爵家の中はガタガタだ。夫人を注意した執事《バトラー》は突然解雇され、後任には侯爵の従者《バレット》だった使用人が就いたものの、引き継ぎなしの状況だから業務が回らない。上級使用人《アッパーサーヴァント》はロバート派で占められ、そうでないものはとにかく不気味がっている」

上級使用人は執事、女中長などの使用人の管理監督者や、主人一家の身の回りの世話をする従者・侍女を指す言葉だ。対して掃除・洗濯・料理など、直接肉体労働に従事する者を下級使用人《ロウワーサーヴァント》という。

「下級使用人にはロバートの影響はないみたいなんだ。……支配するまでもないという考え方なのかな」

アークレインはあざけるような笑みを浮かべた。マナから読み取れる感情は怒りだろうか。

貴族の邸の中では、下級使用人は上級使用人には逆らえないようにできている。紹介状なしで追い出された場合、次の職探しに困るのが目に見えているからだ。家事使用人の職場の中でも、分業制が進んだ裕福な貴族の邸は待遇がいい。紹介状なしで追い出された場合、同等の勤め先はまず見つからない。そうなると多少の理不尽や異常は見て見ぬふりをするしかない。

「エステルがオリヴィア嬢のマナが異常だと言うのならこれはもう確定かな。ロバートを捕まえれば『フロリカ』に繋がる何かが摑《つか》めるかもしれない」

『フロリカ』――天秤宮に侵入し、エステルの暗殺を企てたディアナ・ポートリエを唆《そそのか》したとされるルプト族の占い師だ。人の体を骨格から作り替えるという、極めて強力な古代遺物《アーティファクト》を所持しているとみられる裏社会の犯罪者である。

「捕まえるって、一体どうやって……」

「実は今朝、面白いものが届いてね」

アークレインは執務机の傍にいるハオランに目配せをした。

するとハオランは机の上に置いてあった一通の封書を手に取り、こちらに持ってくる。そしてその瞬間、執務室内の全員のマナの陰りが酷くなった。

「これは……」

封書に印刷されていたのは、レインズワース侯爵家の紋章だった。

「オリヴィア嬢からのティーパーティーの招待状。素晴らしい絵を描く画家を見つけたから、是非一度見にいらして下さい、だって」

そう告げたアークレインはにこやかに微笑んだ。


「どうしてこんな招待状が……？　意図がわかりません……」

しばしの沈黙の後、エステルが発した声は、自分でもわかるほどに動揺で震えていた。

「オリヴィア嬢がおかしくなっているからだろうね。今のオリヴィア嬢はね、何を血迷ったのかどうにかして私の婚約者になろうとしているみたいなんだ。君という存在がいるのにね」

そう教えてくれたアークレインは、マナを陰らせながら楽しげに微笑んでいる。

「しかもこの招待状、オリヴィア嬢が独断で出したようなんだ」

「えっ……」

「夫人も使用人も誰一人把握していないみたいだね」

エステルは唖然とした。

ティーパーティーを開こうというのに、アデラインだけでなく、事前の準備をするはずの使用人が誰も知らないなんておかしいにもほどがある。

「折角だから行ってみようと思うんだ」

アークレインの発言にエステルはギョッと目を見開いた。

「そんな、危険です！」

「エステルも他の者と同じ事を言う」

「当たり前です！　そんな得体の知れない状態になっている場所に行くなんて……」

「でも、これは『フロリカ』の尻尾を摑むチャンスでもある。レインズワース侯爵家の誰も知らないという事は、ロバートの不意が打てるという事だ」

「それは……そうかもしれませんけど……」

「護衛を連れていくし飲食物は口にしない。そこにさえ気を付ければ、私を傷付けられるものはそういない。エステルは知ってるよね？　私の体は常に自動展開されているマナの壁に守られているって」

「はい……でも……」

危ないから行って欲しくない。いや、それだけではなく、アークレインに、かつて婚約の噂があったオリヴィアと接触して欲しくない。

もやもやとした感情が湧き上がり、穏やかではいられない自分に気付いてエステルは青ざめた。

「もしかして、オリヴィア嬢との以前の噂を心配してる？」

言い当てられ、エステルはビクリと身を震わせた。

「…………」

察しのいい人だから隠しても無駄だ。エステルは諦めるとアークレインに白状した。

「嫉妬のような感情は……無いと言えば嘘になります。噂だけでなく、アーク様とオリヴィア嬢は、私よりずっと長く一緒に過ごされていたでしょうから……」

「招待に応じる私の目的は、『フロリカ』に繋がる何かを探る事だ。オリヴィア嬢に対する特別な感情は一切無い。私が選んだのは君だ。そこは決して揺るがない」

「……はい」

「殿下、僭越《せんえつ》ですが、エステル様と二人きりでお話しされた方がいいかと存じます。我々はいったん席を外しますので……」

おずおずと割り込んできたのはメイだった。

身分が低い者が上位の人間の許しなく発言するのはマナー違反だから、叱責覚悟の諫言《かんげん》だろう。ありがたいと思いながらもエステルは首を振った。

「大丈夫です。アーク様はきっぱりと否定して下さったから……少し頭を冷やせば、私の気持ちは落ち着くと思います」

気持ちを整理すれば大丈夫。何よりアークレインの手を煩わせたくない。面倒な人間だと思われたくない。

ぐるぐると考えながらエステルは目を閉じると深く呼吸した。そして真っ直ぐにアークレインを見返す。

「アーク様には異能があるのは知っています。でも、お気を付けて。無事に帰ってきて下さい」

「行かせてくれるんだ」

「私に最後に話されたのが答えだと思っています。ここにいる全員が止めても行くとお決めになったんですよね？」

「……そうだね」

「なら、私にできるのはお帰りをお待ちする事です。大丈夫です。見送るのは竜伐で慣れていますから」

「……その思考に至れるエステルは凄いな」

少しの間を開けて、アークレインから返ってきたのはそんな言葉だった。

三章　侵食

――時は戦没者追悼式典の直後にさかのぼる。


「お帰りなさい、オリヴィア」

式典が終わり、レインズワース侯爵家の馬車に戻ってきたオリヴィアを迎え、アデラインは優しく微笑んだ。

「ただいま、お母様」

同じように微笑んだオリヴィアを、アデラインは優しく抱き寄せる。

馬車にはもう一人の人物――ロバート・テイラーが同乗していて、抱き合う母娘を微笑ましげに見つめていた。

「そろそろ追加のマナを注がないといけないわね」

アデラインは夢見るように目を細めると、オリヴィアが身に着けたチョーカーに右手で触れた。

するとチョーカーの中心に埋め込まれた魔導石が銀色に光る。そして、大量のマナを一気に持っていかれたせいだろう。アデラインの眉間に皺《しわ》が寄った。

その様子はロバート――いや、トリックスターにとっては痛快でたまらなかった。

人間というのは面白い。少し揺さぶりをかけてやるだけで、思わぬ方向に転がっていくのだから。

ディアナ・ポートリエと『遊んだ』後、姿をくらませるつもりだったトリックスターが思いとどまったのは、予想よりもずっと早くディアナが捕まったからだった。

（もう少し粘ると思ったのになぁ、あのお嬢さん）

古代遺物《アーティファクト》を使って骨格から髪質、瞳の色まで、何もかもを天秤宮の女官そっくりに変えてやったのに。

せめて標的のエステル・フローゼスに、怪我の一つくらいはさせてから捕まって欲しかった。

エステルが無傷なのは、その後の社交パーティーで、第一王子のパートナーを務める姿を見かけたのですぐにわかった。

一方で、天秤宮にディアナの父親が呼び出されたかと思ったら、宮の中から一台の馬車が檻《おり》の付いた病院へと向かった。その中身がディアナで、厳重な監視付きで幽閉されたのだと知った時、トリックスターは心の底からがっかりした。

馬鹿だからすぐに捕まるとは思っていたが早すぎる。もう少し天秤宮の中で混乱を撒《ま》き散らして欲しかった。

ディアナを天秤宮の女官に化けさせて、エステルを害させようとしたのは、エステルに恨みを持っていたディアナ・ポートリエとアデライン・レインズワース、そして息子のライルの人生を無茶苦茶にされてディアナを恨んでいたウィンティア伯爵夫人――当時のトリックスターが扮していた占い師、『フロリカ』の顧客の願いを一気に叶《かな》えようとしたからだった。

しかし、最終的にこの三人の中で満足行く結果が得られたのは、ウィンティア伯爵夫人ただ一人だ。ディアナはもう表舞台に出てくる事はないだろうから除外するとして、アデラインはトリックスターに手付金だけを騙し取られたという状況だ。もし彼女が血眼になって自分を探していたら面白い。そう思ったのが首都に残った理由だった。

しかし残念ながら、アデラインは泣き寝入りすると決めたようで、こちらもトリックスターにとってはがっかりだった。

『フロリカ』として接したアデラインは、プライドの高い典型的な貴族の奥様だったから、騒ぎ立てて表沙汰になるのを避けたのだろう。

つまらないからそろそろ監視をやめて首都を離れよう――そう考えて旅支度を始めた時に、レインズワース侯爵が倒れた。

それも侯爵はどうやらアデラインとの口論の最中に倒れたらしい。しかも口論の原因はオリヴィアの縁談だ。

楽しくなりそうだという予感がした。

そこで、トリックスターは予定を変え、『変身《メタモルフォーゼ》の腕輪』でアデラインお気に入りのオペラ歌手の顔を拝借し、自然に接触する機会を待つ事にした。

その機会は思ったよりも早く巡ってきて、トリックスターは画家の卵、ロバート・テイラーとして、案外あっさりとアデラインの懐に潜り込むのに成功した。

最初に髪型と服装をわざと野暮ったくし、オペラ歌手の容姿を隠して素朴な田舎者を演じたのは警戒心を持たせないためだ。また、後から贔屓《ひいき》のテノール歌手そっくりだと気付かせた方が、よりアデラインの興味を引けるという計算もあった。

トリックスターには一族秘伝の薬物という強い味方がある。あらかじめ準備しておいた絵を気に入らせる自信はあった。

今回使ったのは、前回ディアナに使った練香《ねりこう》とは別の薬物だ。何種類ものハーブと薬草をブレンドしたお茶である。

アデラインは何の疑問も持たず『ロバート』が淹れたお茶を飲んでくれたので、自分に好意を抱く暗示をすんなりとかける事ができた。暗示の成功率は元々の好感度も影響する。オペラ歌手に変身するという手間をかけたのはこのためでもあった。

画商の態度は失笑ものだった。侯爵夫人のご機嫌を取るためか、トリックスター自身どこがいいのかわからない絵を褒めたたえて、そこそこの値を付けて買い上げたのだから。

アデラインに盛ったお茶は、口から摂取させる分、練香よりも強力に作用する。強い依存性があるので、後々を考えると少し可哀想だ。

しかし、練香はディアナが第一王子に存在を漏らしている可能性があるから今回は使いたくない。

(仕方がない)

無責任にもトリックスターはそう考えていた。

お茶の欠点は味の好みが出る事だ。アデラインやその周りの使用人のほとんどは案外簡単に飲んでくれたが、オリヴィアや執事《バトラー》など、口に合わないと断る者もいた。

しかし、薬の支配下に入らなかった人間による不協和音こそがトリックスターの求めるものだった。

特に見物だったのはオリヴィアの顔だ。

父が倒れた原因は自分にもあると自責し、妙な男を邸に引き込む母を諫めたいが諫められない。そんな苦悩を抱えた貴族のお嬢様の美貌はトリックスターをいたく満足させた。

オリヴィアは、アデラインを諫めた執事が解雇されるに至って遂に動いた。

母娘の話し合いは二人きりで行われたので、実際にどんな会話があったのかは知らない。

しかし、トリックスターが別室で待機していたところ、どうやら口論になったようだ。その時の事を思い出すと笑いがこみ上げてきた。

◆　◆　◆

「ロバート、大変なの！　オリヴィアが……オリヴィアが……」

言い争う声に続き、大きな物音がしたかと思ったら、青ざめた顔のアデラインがトリックスターの待つ部屋に駆け込んできた。

「どうしたんですか、奥様」

「あなたを愛人呼ばわりして侮辱してきたから腹が立って、つい手を上げてしまって……強く叩きすぎたみたいなの。バランスを崩して倒れて、それで……」

詳しく話を聞くと、どうやらオリヴィアが倒れ込んだ先には運悪く戸棚があり、彼女はそこに頭を強くぶつけた、という事らしかった。

アデラインに手を引かれ、トリックスターはオリヴィアの所へと向かう。

「大丈夫ですか？　お嬢様！」

倒れているオリヴィアに声を掛けると、わずかに瞼《まぶた》が動いた。一応呼吸もしっかりしている。

「たぶん気を失ってるだけだと思うんですけど……どうしますか？　医師を呼ぶか、それとも……」

「それともって……？」

ロバートはアデラインの疑問には答えず曖昧に微笑むと、低い声で囁いた。彼女の大好きなテノール歌手と同じ声で。

「お嬢様が僕をよく思わないのなら、僕はもうここには来られません。奥様のご家族に嫌われるのは悲しいですから……」

「そんなのダメよ！」

薬物の影響下にあるアデラインは、幼い子供のようにぶんぶんと頭を振った。彼女は今、欲望に大変素直になっている。

「でも、お嬢様が反対される限り僕は会えないです。愛人だと誤解されるのも奥様に申し訳ないですし……」

「そうよ、ロバートは愛人じゃないのに……オリヴィアはどうしてそんな風に思ったのかしら……」

トリックスターとアデラインの間にまだそういう関係はない。アデラインは薬の影響で『ロバート』に心を奪われているのだが、生憎《あいにく》こちらには年増を抱く趣味はないので、のらりくらりと躱《かわ》し続けているからだ。

「お嬢様がお気持ちを変えてくれたら毎日でも来られるのですが……奥様が以前勧めて下さったみたいにここに寄宿させていただいても……」

申し訳なさそうな表情でトリックスターはアデラインに囁く。

反対するオリヴィアがいる限り自分はここにはいられない。アデラインから離れるしかない。

「オリヴィアが、いると、ロバートは、来られない……」

ショックを受けた表情でアデラインはつぶやいた。

そうだ。邪魔者《オリヴィア》がいたらロバートは離れていく。

（どうする？　奥様）

この機会に排除するのか、それとも踏みとどまるのか。薬に侵された思考はどちらを選ぶのだろう。

トリックスターはアデラインに申し訳なさそうな表情を作りながら、悪意をふんだんに含んだ好奇の視線を向ける。

「昔のオリヴィアは、素直で可愛かったのよ……お母様の言う事を何でも聞いて、大好きって言ってくれた……」

アデラインは焦点の合わない目でぶつぶつとつぶやいた。

「ロバートの事だけじゃないわ。縁談もよ。アークレイン殿下ほどの身分の方は望めないにしても、あんな適当なところで妥協しようとするなんて……どうしてこうなってしまったのかしら。昔はお人形のように愛らしかったのに……」

子供の頃は良かった。生まれたばかりの時のオリヴィアはこんなにも小さくて……。

アデラインはトリックスターに幼少期のオリヴィアがどんなに可愛かったかを語り始める。

(長くなりそうだな……このおばさん、こうなるとくどいんだよな……)

心の中ではうんざりしつつも、トリックスターは穏やかな好青年の仮面を被って、アデラインのつぶやきに相槌《あいづち》を打ちながら耳を傾けた。

「……そうだ。いいものがあるわ。どうして今まで思いつかなかったのかしら」

不意にぽつりとアデラインがつぶやいた。

「いいものって何ですか?」

「それよりも、お医者様を先に呼ばないと……ロバート、オリヴィアをそこのソファに寝かせて下さる?」

排除という選択肢にはならなかったか。

トリックスターは心の中で舌打ちしつつもおくびにも出さず、快く引き受け、意識のないオリヴィアの体を抱き上げた。

◆　◆　◆

オリヴィアをソファに寝かせて待機していると、しばらくして医師を呼びに行ったアデラインがパタパタと小走りで戻ってきた。

戻って来るのが遅いなと思っていたら、何かを取りに行っていたらしい。彼女の手の中には立派な布張りの宝石箱があった。

「これを使おうと思うの」

アデラインは宝石箱を開けて中身をトリックスターに見せてきた。

中に入っていたのは魔導石と思われる石が埋め込まれたチョーカーだった。金属部分に精緻な文様が彫り込まれているところを見ると、恐らく古代遺物《アーティファクト》だ。

「奥様、それは？」

「私の実家に代々伝わってきたものよ」

ふふ、と微笑むと、アデラインはチョーカーをオリヴィアの首に装着してマナを流した。

「くっ……」

アデラインは眉をひそめる。相当な量のマナが吸い取られているらしい。

チョーカーの魔導石が銀色に輝く。その一方でアデラインは苦しそうだ。

体感にして十分以上は経過しただろうか。ようやく終わったらしく、チョーカーの銀色の光が収束した。


ハア、ハア、ハア――。

一方でアデラインは苦悶の表情で荒い息をついている。

「それ、ただの魔導具じゃなくて古代遺物《アーティファクト》ですよね……？　一体どんな効果が……」

「自分の思い通りに動くお人形さんにするのよ。その代わり、酷くマナを消耗するの。それだけじゃなくて、代償に寿命が必要だって言われているわ」

げっそりとした表情でこちらに笑みを向けるアデラインには凄味があった。

「これでオリヴィアはあなたを悪く言わない。だから遠慮なんてしないでここにいらっしゃい。アトリエを用意してあげる」

古くから続く貴族の家系には、とんでもない威力の古代遺物が眠っている事がある。

それを目の当たりにし、トリックスターの全身が粟立った。

ゾクゾクした。貴族のアデラインがここまで消耗するという事は、下級貴族程度のマナしか持たないトリックスター自身には使えない可能性が高いが、雲隠れする時に失敬して闇のマーケットに流せばきっと相当な高値が付く。

トリックスターの高揚の理由はそれだけではない。

『ロバート』を繋ぎ止めるために、反抗的な娘を古代遺物の力で、しかも自分の寿命を削る可能性すらあるのに人形に変えるというその発想が素晴らしい。

(あんた最高だよ、奥様)

トリックスターは心の中でほくそ笑んだ。

彼は、レインズワース侯爵家の中を思う存分引っ掻《か》き回した後、突如姿を消してやるつもりだった。依存性のあるお茶の形をした薬物に、寿命を代償として必要とする古代遺物――彼女の体はボロボロになるに違いない。

◆◆◆

トリックスターの予想は当たっていて、オリヴィアを人形化してまだ三日しか経っていないのに、もともとやつれていたアデラインの顔はさらに老け込み、白髪が増えていた。

(効果は凄いけど、俺なら絶対使わねぇな……)

そう考える彼の目の前では、母娘によるいびつな人形劇が繰り広げられている。

「ごめんなさいね、オリヴィア、あなたをたった一人で式典に参加させて」

「いいんです、お母様。お母様はお体の具合が最近良くないんですもの」

オリヴィアは気遣わしげにアデラインを見上げた。

(体調が悪いなんて大嘘だぜ、お嬢様)

アデラインの本音は別にある。周囲の哀れみやら侮辱の視線に晒《さら》されるのが嫌なのだ。彼女はお茶と暗示の影響で欲望に素直になっており、娘に嫌な事を押し付けたというだけの話である。

「アークレイン殿下はどうだった?」

アデラインが尋ねると、オリヴィアは悔しそうな顔をした。

「エステル・フローゼスとずっと一緒にいたわ。あの女……本当はまだ王族席に入れる立場ではないはずなのに」

「そう……安心なさい。お母様が何とかしてあげる。あの場所は本来あなたの物なんだから」

(可哀想に)

二人の会話を聞きながら、トリックスターはオリヴィアに同情しつつも密《ひそ》かに嗤《わら》った。

彼女自身は第一王子を吹っ切って次に行こうとしていたのに、その気持ちはチョーカーの影響で捻《ね》じ曲げられてしまっている。

王子に執着しているのはアデラインだ。彼女は少女時代、祖国を追われて使用人同然の暮らしをした反動か、人よりも優れた人生を送る事に固執している。

一番上の娘はアメリクスの総督夫人になった。跡取りの息子も生んだ。更にオリヴィアが王子妃になれば、彼女の自尊心はこの上なく満たされる。それが真意だ。

少し前までは王子を諦めたフリをして、アメリクスの総督と同等の縁談を、なんて言っていたけれど、心の奥底では王子を諦めていなかった。トリックスターの薬と暗示は、その本音を暴いてしまった。

(あんたの過去は、俺に言わせりゃ本当の貧乏暮らしじゃないけどな)

『フロリカ』の時も『ロバート』の時も、アデラインは聞いてもいないのに自分の身の上話をペラペラと語って聞かせてきた。

伯爵令嬢として生まれた彼女にとって、亡命後、伯母に無償の家庭教師扱いされた事は相当な屈辱だったようだが、衣食住ちゃんと与えられていたのだから十分に恵まれている。

不幸ぶるならスラムの子供達を見てからにすればいいのに。

トリックスターは心の中でアデラインを馬鹿にする。

「ねえロバート、どうすればエステル・フローゼスを排除できるかしら?」

アデラインに尋ねられ、ロバートは穏やかに微笑んだ。

「そうですね、どうにかできないか僕も一緒に考えてみますね」

口では同意するものの、トリックスターにそのつもりは毛頭なかった。

ディアナの件があったからエステル・フローゼスに何かするのは当分無理だ。第一王子とその周辺は警戒を強めている。

「あの女もだけど夫も邪魔だわ。早くヘンリーへの爵位継承の申請が通ればいいのに」

彼女の害意は入院中のトールメイラーにも向けられている。トリックスターが既婚者には手を出せないとアデラインを拒み続けているせいだ。

爵位継承が終わるまで排除してはまずい、という分別が働くのがまた面白い。

オリヴィアが人形になってから、トリックスターはレインズワース侯爵家に住《す》み処《か》を移した。アデラインの相手をするのは正直面倒だが、混乱状態を間近で見物できるのは悪くない。

トリックスターは目を細めると、愛《いと》おしくてたまらないという目を母娘に向けた。

四章　急転・崩壊

戦没者追悼式典から三日後の昼下がり――。

突如レインズワース侯爵邸を訪れた第一王子の姿に、邸《やしき》の内部は混乱状態に陥っていた。トリックスターもその一人だ。

居間でアデラインの相手をしていたところ、執事《バトラー》が駆け込んできて一報を入れた。その知らせに一同はまず呆然《ぼうぜん》となった。

「どうしてアークレイン殿下がこちらに⁉」

「わかりません！　何故か当家の紋章が入ったティーパーティーの招待状をお持ちでして……」

アデラインが問い詰めているのは、解雇された前の執事に代わって、トールメイラーの従者《バレット》から執事に昇格した男だ。

新執事は全身に冷や汗をかきながら、しどろもどろに返答している。

「どうしたの、騒がしいけど」

そこにひょっこりとオリヴィアが顔を出した。

「オリヴィア、大変なのよ。アークレイン殿下が急にいらしたみたいで……」

「まあ、来て下さったの⁉　嬉しい！」

ぱあっと顔を輝かせたオリヴィアに、その場にいた全員がギョッと目を見開いた。

「……もしかしてあなたが殿下に招待状を送ったの？」

「はい。だってお会いしたかったから」

うふふ、と微笑んだオリヴィアにアデラインは啞然とする。

「どうしてそんな……殿下にはエステル嬢がいらっしゃるのよ……？」

「エス……テル……？」

オリヴィアはきょとんと首を傾げた。かと思ったらパチンと両手を合わせて手を叩く。

「そう言えばそんな人もいましたね！　でも来て下さったという事は、私を選んで下さったんだわ」

(何言ってんだこの女)

振られた立場で何で招待状を送ったんだ。どうしてアデラインや執事に招待状を送った事を言わないんだ。

そんな思考が瞬時に頭の中を駆け巡る。

(頭に虫でも湧いて……いや、おかしくなってるんだったな)

トリックスターは思わずオリヴィアのチョーカーを見た。

それにしても、やって来るアークレインもアークレインだ。エステルという婚約者がありながら、どうして招待に応じたのだろう。オリヴィアを袖にしたせいでレインズワース侯爵家とは疎遠になっていたはずなのに。

もしかして、アデラインと自分の関係をどこかで知って確認しに来たのだろうか。

さすがに長年自分を支えてきたレインズワース侯爵家が、変な男に食い物にされるのは見過ごせなかった——こう考えると王子の来訪の目的の辻褄《つじつま》が合うような気がする。

「勝手に招待状を送っては駄目でしょう！　どうして前もって私に相談しないの！」

「ごめんなさい、忘れていたかも……」

叱りつけるアデラインに対して、オリヴィアの返事はぽやぽやしている。

「素敵な絵を描く方がいるから、一緒に鑑賞しましょうってお願いしたの……だからロバート、同席してね。もし殿下もあなたの絵を気に入って下さったらすごい事になるわ！」

「そうね……ロバートを売り込む機会にはなるでしょうけど……」

母娘のその発言を聞いた瞬間、トリックスターは目の前の二人の顔を殴り飛ばしたい衝動に駆られた。

◆
◆
◆

ハオラン、キアン、ニールの三人を連れてレインズワース侯爵邸を訪れたアークレインは、右往左往する使用人を前に同情せずにはいられなかった。

アークレインの手元にある招待状は、オリヴィアが誰にも相談せずに送り付けてきたものだからある意味当然だが、不意打ちのように王族を迎える羽目に陥った使用人からするとたまったものではないだろう。

このティーパーティーでアークレインは『ロバート』を捕まえ、天秤宮に連行するつもりだった。

侍従一人、護衛官二人は、侯爵家を訪問する上で連れていける常識的な供の数だ。

エステル付きのニールを連れてきたのは、若手の中で一番優秀で使い勝手がいいからである。

なお、邸の周囲には、ロージェル侯爵家の力も借りて、ロバートの逃走経路をふさぐための人員も配置済みだった。

(不安そうだったな)

ふと思い出したのは、天秤宮の玄関ホールまで見送りに出てきたエステルの顔である。

あれはアークレインの身を案じているだけの顔ではなかった。時間が経てば落ち着く、と口では言っていたが、結局オリヴィアに対する穏やかではない感情を割り切れなかったのだろう。

『女性の心はそういうものだ』と、メイベルからは事前に進言されたが、複雑で面倒だと感じてしまう。

(きっぱり否定したのに)

アークレインからすると、態度でも十分に示してきたつもりだ。

エステルを迎える前からアークレインは面倒を避けるために醜聞対策を徹底していた。

乳母が退職してからエステルが来るまで天秤宮の女官は、母から受け継いだ宝飾品の管理のために雇い入れたメイベル一人だった。

自分の身の回りの世話をするのは基本的にハオランだし、部屋の掃除すら下女ではなく下男に任せているので、傍近くに置いた女性はエステルが初めてだ。

また、彼女に対しては十分以上に丁寧に接するように気を配ってきたつもりである。これ以上何をすればいいのだろう。

思案していると、ようやく準備ができたとかで、アークレインは玄関ホールに案内される。

ホールに入ると、オリヴィアがロバートらしき男と使用人と一緒に待機していた。紹介されなくても見ただけでわかる。オリヴィアが同伴していた男は、確かにオペラ歌手のチェスター・アストリーにそっくりだった。

アークレインの目の前までやって来ると、全員が一斉に頭を下げる。

「久しぶりだね、オリヴィア嬢」

礼儀作法に則《のっと》ると、アークレインが声を掛けなければ二人は顔を上げられない。

「ローザリアの若き太陽、アークレイン殿下にオリヴィア・レインズワースがご挨拶申し上げます」

全員を代表し、オリヴィアが挨拶の口上を述べた。そして、うっとりとした眼差しをアークレインに向けてくる。

「お久しぶりです、殿下。招待に応じて下さって嬉しいです！」

まだ婚約の噂が出ていた時と変わらない態度、いや、その時以上の熱のこもった視線は異様である。

(刺激しない方が良さそうだ)

アークレインは瞬時に計算すると、オリヴィアに向かって微笑んだ。

「今日はお招きありがとう」

「ずっと会って下さらなかったので寂しかったです」

「それは申し訳なかったね。ずっと忙しかったんだ。その代わり今日はしっかり付き合うよ」

「殿下がお忙しいのは存じ上げていますから……そう仰って下さるのなら許して差し上げます」

ツンと顔を逸らした傲慢に見える態度も、過去の彼女を思い起こさせる。

「そうだ！　殿下にご紹介しますね。こちらはロバート・テイラー。招待状にも書かせていただいたんですが、すごく素敵な絵を描くんです。今はまだアルビオン工芸美術学校に通う学生なんですけど、きっと卒業後は有名になると思います！」

「ああ、こちらが……よろしく、ロバート」

アークレインが声を掛けると、ロバートはビクリと身を竦ませた。

「ロバート・テイラーが、ご、ご挨拶申し上げます」

オリヴィアの優雅な挨拶に比べると、ロバートは緊張してガチガチになっている。

『設定』通り、初めて王族に拝謁《はいえつ》する中流階級出身の学生――を演じているのだとしたら合格だ。

アークレインはロバートを観察しながらにこやかに微笑みかけた。

「今日は是非あなたの絵を見せて下さいね。楽しみです」

「きょ、恐縮です……」

彼の冷や汗は演技だろうか。それとも本当に焦《あせ》っているのか――。

(案外本心かもしれないな)

第一王子とレインズワース侯爵家の関係を少しでも知っていたら、この訪問が異常であると簡単にわかるはずだ。

アークレインは心の中でめまぐるしく計算をしながらオリヴィアとロバートを観察した。

何度か訪れた事があるので、侯爵家のタウンハウスの構造はだいたい把握している。建物は庭園の三辺を囲うように建っており、横長の中央は本邸に、西には客人を招くための部屋が、東側には厨房や洗濯室など使用人が家事をするための施設が集中していたはずだ。

オリヴィアは、西棟へとアークレインを案内した。一行に同行するのはロバートだけで、使用人はそれぞれの持ち場に戻るようだ。

確か西棟の一階廊下はギャラリーになっていて、大広間や遊戯室、応接室などに繋がっていたと記憶している。

「アデライン夫人は？　てっきり夫人も同席されるのかと思っていたんだけど」

廊下を歩きながらアークレインはオリヴィアに確認した。すると彼女は表情を曇らせる。

「お母様はお体の具合があまり良くないんです……お父様が入院してから、色々と大変だったので……」

「そうですか……ご自愛下さいとお伝えいただけますか？」

「はい。母も喜ぶと思います！」

アデラインはこの短期間で随分と老け込んだと密偵から聞いている。恐らく体調不良というのは事実だろう。

ロバートが『フロリカ』だったとしたら、心労のせいだけではないかもしれない。

アークレインはあからさまにならないよう注意しながら、オリヴィアの一歩後ろを歩くロバートを観察した。

◆◆◆

ティーパーティーの会場として急遽使用人がセッティングしたのは、邸の西棟一階の角部屋にある応接室だった。

そこに向かう途中の廊下はギャラリーになっている。少し前までは歴代の当主が収集した有名画家の絵画が飾られていたが、今は『ロバート・テイラー』ことトリックスターが描いた適当な抽象画に入れ替わっていた。

「いかがですか、殿下」

「ごめんね、私はあまり抽象画には詳しくないんだ」

目の前では得意気に絵を見せるオリヴィアに対して、アークレインはにこやかに応対している。

その姿にトリックスターは心の中で舌打ちした。

（こいつ、やっぱ何か感づいてやがるな）

アークレイン来訪の知らせが届いた時、トリックスターには二つの選択肢があった。

何とか理由を付けて逃げるか、会って訪問の意図を確かめるか——。

逃走の選択肢は窓から外を見た瞬間に消えた。邸の出入り口の近くに馬車やら通行人やら、自然を装って配置された不自然な人影に気付いたからだ。

こうなったらアークレインの顔を拝んで真意を探るしかない。

もし、最悪の場合は——そう腹を括《くく》っての対面だった。


ローザリア王族の容姿は、大量に出回っている絵姿や新聞報道などで国民に広く周知されている。だから第一王子の容姿が優れているのは知っていたが、実物は写真以上に煌《きら》びやかだった。

（いけ好かない）

アークレインを一目見た瞬間、トリックスターの中に湧き上がったのは、そんな嫉妬めいた感情だ。長身で容姿端麗なだけでも腹が立つのに、地位も身分も金もあって更に異能も備えている。天はこの男に才を与えすぎである。

反発心を、『王族との初めての対面に緊張している田舎者』という仮面で抑えつけながら、トリックスターはアークレインを観察する。


その結果、出した結論は諦めだった。


アークレインは異常なオリヴィアに対して、穏やかな笑みを浮かべながら真面目に受け答えしている。その様子からは、この邸の内情を把握した上で乗り込んできているのが窺えた。

この王子様はディアナ・ポートリエを知っている。あの馬鹿女が尋問に耐えられるとは思えない。

まず間違いなくこちらの手口は筒抜けになっている。

『変身《メタモルフォーゼ》の腕輪』も、裏で手を引いていたルプト族の『フロリカ』の存在も、このいけ好かない王子様に把握されているとしたら――。

トリックスターはアデラインの気を引くためとはいえ、オペラ歌手の容姿を拝借したのを悔やんだ。ついでにアデラインが所持していた古代遺物《アーティファクト》でオリヴィアを人形に変えた事も。

アデラインの選択を嘲笑していた少し前の自分を殴り飛ばしたい。まさか人形が勝手に動いてアークレインを呼び出すとは思わなかった。

……そもそも、レインズワース侯爵家に手を出したのが間違いだったかもしれない。ディアナに関わったアークレインとの接点があった家なのだから。

王子様は自分の婚約者を狙った『フロリカ』への手がかりを探しに来たに違いない。

王族の『覚醒者』は、間違いなくこの国最強の存在だ。目を付けられたら終わりと言っていい。ついでにアークレインはお供をぞろぞろと連れてきていた。若い王室護衛官《ロイヤルガード》が二人に侍従らしき眼光鋭い中年男が一人。彼らに周囲をがっちりと固められ、逃げ道もふさがれている。

捕まって、自分の正体やこれまでの人生を洗いざらい白状させられるくらいなら、いっそ――。

トリックスターは密かに準備してきた仕掛け付きの指輪を外すと、意を決して石を固定する台座《ベゼル》をずらした。

◆　◆　◆

異変が起こったのは唐突だった。

突然ロバートが苦しみだし、その場に蹲《うずくま》ったのである。

「ロバート⁉」

驚き、駆け寄ろうとしたオリヴィアの腕をアークレインは反射的に摑んだ。

きょとんとするオリヴィアに対して、こちらの側近は全員が身構える。

脳裏に瞬時に浮かんだ単語は『毒』だったが、すぐに打ち消した。ロバートの体が不気味にメキメキと盛り上がり始めたからだ。

到底女性に正視できる姿ではない。劈《つんざ》くような絶叫がオリヴィアの喉からほとばしった。

すると悲鳴を聞きつけたせいか、付近の部屋から女中《メイド》が顔を覗かせる。

「来るな！」

制止したのはキアンだ。

同時に苦悶《くもん》の表情を浮かべたロバートが哄笑《こうしょう》を上げた。

「王子様、あんたさァ、俺を、捕まえに、来たんだろ……？」

ハア、ハア、ハア、ハア――。

荒い息をつきながら、ロバートはアークレインを睨《にら》みつけてきた。その間にも、彼の体は変化し続ける。

不気味に骨が、肉が、ミシミシと音を立てながら盛り上がり、髪がごっそりと抜け落ちた。

その光景は、天秤宮に入り込んだ偽リアがディアナ・ポートリエに変化した時にそっくりだ。

「お前が『フロリカ』だったのか……？」

「教え、ねぇよ……」

アークレインの呆然としたつぶやきへの明確な答えは返ってこなかったが、その体の変わり方が『フロリカ』の関係者である何よりの証拠だ。

ディアナの時と同じ――否、違う。ロバートの体は少しずつ盛り上がり、大きくなっている。

「賭けをしようぜ、王子様……俺が賭けるのは自分の命……成功すればお前ら全員皆殺しだ！」

ロバートのむき出しになった腕に漆黒の鱗《うろこ》が生えた。

続いて肩甲骨が不自然に大きく盛り上がったかと思うと、それは皮膜を持つ大きな羽へと変化する。蝙蝠《こうもり》の羽そっくりなその見た目は――。

「竜!?」

アークレインはギョッと目を見開いた。

（人以外にも変身できたのか!!）

他人に化ける効果のある古代遺物《アーティファクト》を使ったに違いない。

ディアナは腕輪の形状をしたそれに、リアの血液とマナを注いだら見た目が変わったと証言した。

この男が密かにその古代遺物に飛竜の血を注いだのだとしたら――。

飛竜の体はガンディアの珍獣、象よりも大きく、陸上生物の中では最大にして最強と言われている。

こんな所に突如そんな生き物が現れたら邸が壊れてしまう。

アークレインはフロックコートの下に隠し持っていた護身用の魔導銃を引き抜くと、変身を阻止するべくロバートを撃った。

しかしマナの弾丸は不可視の壁によって弾かれる。きっと変身の古代遺物が守っているのだ。阻止できない。

アークレインは即座に悟ると、目の前に念動力の壁を作り、ロバートに向かって突進した。

◆
◆
◆

トリックスターが指輪に仕込んでいたのは、アークレインが推測した通り、竜骨山脈に生息する飛竜の血液だった。

それを、常時身につけている『変身《メタモルフォーゼ》の腕輪』に垂らし、ありったけのマナを注ぎ込む。

と、同時に脳裏に浮かんだのは、かつて母からこの腕輪を受け継いだ時に交わした会話だった。

『おいババア、こいつは人以外の生き物にもなれんのかよ』

『知らないわよぉ。そんな使い方した事ないもの。そもそもなってどうすんの？　頭の中身が動物になったら、元に戻れないかもしれないわよ？　あんたもどうせ、アタシと同じようにろくでもない人生歩むんだろうからさ、興味があんなら自滅覚悟の最後の手段として試してみたら』

そう言ってカラカラと笑った母は、腕輪の力を存分に悪用し、人から人の間を渡り歩いて好き勝手に生きてきたどうしようもない女だった。

聞けばこの腕輪の元の持ち主だった祖母も、似たような人生を歩んで死んだ人物だったらしい。

『あんたのおばーちゃんはさ、悪さが過ぎて男に殺されちゃったのよね。ベッドで死ねるアタシのがマシな人生だよ』

そう言い残して三十代後半で亡くなった母の死因は性病だったのだから、トリックスターからするとどっちもどっちだ。


『自滅覚悟の最後の手段』として飛竜の血を手に入れておいたのは、かつて興味本位で訪れた竜骨山脈で、優美に空を飛ぶ彼らの姿を目撃し、魅了されたからかもしれない。

激痛に耐えながら、トリックスターは竜になった自分の姿を夢想する。

「あ……ア、う、ぐっ……！」

いつもよりずっと痛い。全身の骨がバラバラになって、肉が引きちぎられるような感じがする。

ああ、でも腕が鉤爪《かぎづめ》に変わって鱗が生えてきた。

肩甲骨の辺りが引き攣《つ》れる感触は、翼ができているからだろうか。

変身を阻止するためだろう。アークレインが焦った顔で魔導銃を撃ち込んできた。しかし、不可視の壁がトリックスターを守っており、マナの銃弾は弾かれてしまう。

トリックスター自身も知らなかったが、どうやらこの腕輪には、変身中の使用者を保護するような機能も付いていたらしい。

気に食わない王子様の驚愕《きょうがく》の表情に、トリックスターは溜飲《りゅういん》を下げる。

「全員ここから少しでも離れろ！」

叫んでから、王子様がこちらに真っ直ぐに走り寄ってきた。

「……？」

何故かトリックスターの体が後方に吹っ飛ばされた。

——異能だ。《覚醒者》としての能力を使ったに違いない。

しかしそれもまたトリックスターの変身を妨げる事はできない。

何を無駄な事を、と考えた彼は、次の瞬間、周囲の景色が外に変わったのに気付いて考えを改めた。

どうやら王子様は、邸内での変身を阻止したかったらしい。

先ほどの突進は、壁を壊し、トリックスターを庭に追い出すためのものだったようだ。

（はっ、無駄だって）

竜化する場所が邸の中から庭に変わるだけだ。今やトリックスターの体は、アークレインを見下ろす大きさに変貌している。

トリックスターはほくそ笑む。——その時だった。

トリックスターの体が銀色の光を放った。

まるで魔導石がマナを吸収した時のように。

「ア…………？」

それが彼の最後の思考となった。

なぜなら次の瞬間、彼の体は――。

◆　◆　◆

邸の中で変身されるより、廊下の壁を壊して庭に追い出した方が被害は抑えられる。

アークレインが念動力の壁を作り出してロバートに一直線に駆け寄ったのは、瞬時にそう判断したからだった。

マナを最大出力で放出し、心の中でレインズワース侯爵家の母娘に詫《わ》びながら、邸の壁ごとロバートを庭へと吹き飛ばす。

幸いその目論見《もくろみ》は成功したものの、次は飛竜を倒す手段を考えなければいけない。

飛竜の弱点は眉間と心臓。知識として知ってはいても、手元にあるのは護身用のハンドガンとマナブレードの短剣だけだ。

この二つと自身の念動力を駆使してどうにか倒せればいいが、無理だったとしても、竜伐銃を装備した応援が来るまで、邸や市街地に被害が出ないよう持ち堪《こた》えなければいけない。

できるだろうか。

アークレインの背中に冷たい汗が流れた。現在のロバートは、縦も横もアークレインの倍以上に膨れ上がっている。


それが起こったのは突然だった。

半ば竜と化したロバートの体が、銀の光を放ったのである。


(まずい!)


何故そう思ったのかわからない。『覚醒者』としての第六感のようなものが働いたのかもしれない。

突如目の前で放たれた銀色に不吉なものを感じたアークレインは、自身の体を守るため、壁を張り巡らせようとした。

しかし、一拍間に合わず、ロバートの体は更に眩《まばゆ》く輝き、破裂音のようなものが聞こえたかと思うと、異様な力の奔流へと変化しこちらに襲い掛かってきた。

アークレインの体表に常時展開されているはずの付加能力――マナの障壁は、ロバートが変じた光の威力に負けたのか、ロバートを庭に追い出すために力を使いすぎたのか、理由はわからないが機能せず、アークレインの体は後方に大きく吹き飛ばされる。


邸の外壁か、庭の木か、何かに背中が強《したた》かに叩きつけられた。

全身が痛い。霞《かす》む視界の中自分の体を確認すると、植物や硝子《ガラス》の破片と思われるものが突き刺さっていた。

ああ、これはまずいかもしれない。

その思考を最後に、アークレインの意識は途絶えた。

◆　◆　◆

夕刻、天秤宮――。


エステルはレインズワース侯爵邸に向かったアークレインの帰りを待っていた。

今、彼がオリヴィアと一緒にいると思うともやもやする。

(きっぱりと否定して下さったのに)

また、オリヴィアは今、変な男が邸の中に入り込んだせいで大変な目に遭っている。それなのに
こんな感情を抱いて悩む自分は、なんて醜いのだろう。

アークレインの身を案じる気持ちと嫉妬が混ざりあってぐちゃぐちゃだ。

「殿下はエステル様一筋ですよ。普段から不用意に女性を近づける方ではありません」

「とはいえ不安ですよね……いい気がしないエステル様のお気持ちもわかります」

メイとリアの二人はエステルを慰めてくれるけれど、心に響かない自分が嫌になる。

私室の窓際に座り、エステルは今日何度目になるかわからないため息をついた。その時だった。

扉がノックされる。入室の許可を出すと、青ざめた表情のメイが入ってきた。

「エステル様、すぐに殿下のお部屋へ！　大怪我をされてお戻りになりました！」

その知らせにエステルは大きく目を見開いた。

「アーク様が怪我!?　どんな状態なの!?」

「体の前面に木や硝子やらの破片が突き刺さって……腹部が特に酷いです。太い木の枝が……医師の見立てでは内臓に達しており、感染症の危険もあると……」

目の前が真っ暗になった。

「殿下は王族の中でも特にマナの量が豊富でいらっしゃいますから、その回復力を信じるしかないと……今日明日が乗り切れるかで決まると言われました……」

負傷の経緯よりもまずはアークレインの顔を見ないと。

エステルは居ても立ってもいられなくて、アークレインの私室に向かって駆けだした。

私室の寝室に足を踏み入れると、中は薄暗く、ツンとした薬の匂いが漂っていた。

アークレインがいると思われるベッドの傍にはニールが立っている。

彼がエステル付きになったのは、若手の中でも一番優秀でアークレインへの忠誠心が強いからだと聞いている。

――だからこそ今日はエステル付きの任を離れ、アークレインの護衛を務めることになったのだ。

アークレイン自身に護衛は必要ないが、何か不測の事態が起こった時に備えての人選である。

（護衛はいらないはず、だったのに……）

エステルの姿に気付くと、ニールはこちらに向かって深く頭を下げた。

「申し訳ございません、エステル様！　殿下をお護りするどころか、こちらが護られて……」

ベッドに近づくと、横たわるアークレインの姿が見えた。頭に包帯を巻かれているのが痛々しい。

顔色は蠟《ろう》のように白く、静かに眠る姿はなまじ顔立ちが整っているだけに人形めいて見えた。

生きているのはマナでわかる。しかし随分と弱々しくなっている。いつもとは比べ物にならないくらい銀の光が弱々しくなっているのは、傷の治癒にマナが回されているせいだろうか。

「ニール、あなたに怪我はないの？」

「お気遣いありがとうございます、エステル様。私は打ち身だけです。殿下が護って下さったので……」

「そう、良かった……」

ひとまず安堵の息をつく。

「何からお話しすればいいのか……」

「まずは殿下の怪我の状態を教えて」

「……全身を負傷されています。木の枝やら硝子の破片が突き刺さり……特に腹部の傷が酷いです。木の枝がかなり深く刺さっていたので……」

「一体何があったの」

「これは推測ですが……レインズワース侯爵家に入り込んでいた例の男が、古代遺物《アーティファクト》を暴走させたのではないかと……結果的に爆発が起こり、殿下はお怪我を。……近くに温室があったのも悪かったです。割れた硝子の破片が辺り一面に飛び散っていました……」

「アーク様のお体は常にマナの壁で守られているはずなのに、どうしてそんな事に……？」

「我々を守るために力を使い切られたのか、爆発の威力がそれ以上だったのか……どちらかだと思います」

ニールの声は震えていた。王室護衛官である彼にとって、警護対象の負傷は相当な屈辱だろう。

「経緯を詳しく教えてくれる？」

「エステル様、長い話になりそうですからお掛け下さい」

背後から割り込むように声を掛けてきたのは、エステルを追ってきたメイだった。

彼女はアークレインのベッドの傍に椅子を持ってきてくれる。エステルはありがたく座らせてもらった。

エステルが着席するのを確認してから、ニールはぽつりぽつりと何があったのか語り始めた。

アークレインの元に届いた招待状の件は、密偵《スカウト》からの報告通りオリヴィア以外の誰も把握しておらず、一行は門の前でしばらく足止めを食らった。やがてオリヴィアと例の男、ロバートが現れて邸の中に通されたが――。

「……ティーパーティーの会場に向かう途中の廊下がギャラリーになっていて、そこにはロバートが描いたという絵が何枚も飾られていました。そこでオリヴィア嬢が殿下に絵とロバートの売り込みを始めまして……その途中でした。いきなりロバートが苦しみ出して……」

そこでニールは言葉を切った。

「最初は毒を飲んだのかと思ったんです。でも違いました。あの男の体が急に不気味に蠢《うごめ》きだして……その様子は、この天秤宮に侵入したリアの偽者がディアナに戻った時にそっくりでした。かと思うと、急に体が変貌し始めて……」

「ロバートは『フロリカ』だったという事……？」

「恐らくは。オペラ歌手そっくりの容貌で侯爵邸に入り込んだ点、ディアナ・ポートリエと同じように変身をし始めた点などを考えると、あの男は『フロリカ』本人だったのではないかと推測されます。本人が消滅してしまったため、確実な証言は取れなくなってしまいましたが……」

「消滅……？」

「……はい。あの男は竜になろうとしたんです」

ニールの証言にエステルは目を見張った。

「竜……？　その古代遺物《アーティファクト》は人以外にもなれたの……？」

「いえ……結果的にはあの男は竜にはなれませんでした。変身の途中で急に体が眩い光を放ったんです。銀色の光でした。かと思うとそれが急に大きな破裂音を立てて四散して……」

「四散……？　それがアーク様を傷付けた爆発……？」

「恐らくそうだと思います。光がおさまった後は、辺り一面戦場の記録画像のような酷い有様になっていましたから」

「あなたはよく無事だったわね。殿下があんなお怪我をされるような爆発だったのに……」

「殿下がロバートを我々から引き離して下さったおかげです。邸の中で飛竜への変身が始まって……まずいと思われたんでしょうね。殿下は異能を使って廊下の壁ごとロバートを無理やり庭に追い出しました。我々にはなるべくその場から離れるようにと仰ったのですが、私はどうしてもその場を離れる事ができず……」

「……打ち身はその時に？」

「はい。光が弾けると同時に私の体は後方に吹っ飛ばされました。その時に少し意識を失っていたようです。気が付いたら殿下が開けた壁の穴の向こうは酷い有様で……」

エステルは唇を噛んだ。アークレインが怪我をするくらいだ。相当な威力の爆発だったのだろう。

「他の皆は……？　キアンとハオランは無事？」

「二人とも軽傷で、現在は侯爵家に留まり事態の収拾にあたっています。クラウス様も私と入れ違いであちらに向かわれました」

「オリヴィア嬢は？」

「ロバートの変身を目の当たりにして卒倒した姿を見ましたが、今どうされているかはわかりません。既に意識を取り戻しているかも……」

「侯爵家の他の人達は？　使用人が何人もいたはずよね？」

「庭には幸い誰もいなかったのですが、爆発地点が近かった邸の西側にいた使用人の中には、怪我をした者が何人か。ですが皆軽傷です。アデライン夫人はご自身の部屋にいたようで、幸いお怪我はなかったようですが、大慌てで庭に降りてくると金切り声を上げて卒倒しました。殿下だけが大怪我を……」

エステルはアークレインの寝顔に視線を移した。

頬に微かな切り傷があり、頭にも包帯が巻かれているが、爆発の中心部にいた割には綺麗である。

「そんなに酷いお怪我をなさっているなんて信じられない……」

「頭はどうやら咄嗟《とっさ》に守られたようです。ですがお体は……ご覧にならない方がよろしいでしょう」

「…………」

言葉が出なかった。布団の下は一体どうなっているんだろう。確認したいけれど怖くて触れられない。

躊躇《ためら》っていると、更にニールが言葉を紡いだ。

「殿下は私が駆け寄ると一瞬だけ意識を取り戻し、『隠せ』と仰《おお》せられました。かなり大規模な爆発でしたので、完全な隠蔽《いんぺい》は難しいかとは思うのですが、殿下があの邸にいた事実だけは表に出ないように処理する事になるかと思います」

「確かに、婚約の噂があったオリヴィア嬢の邸で大怪我を、なんて表沙汰になったらどんな騒ぎになるか……」

エステルは深いため息をついた。

ロバートに人間関係も邸も滅茶苦茶にされたレインズワース侯爵家の様子も気になるが、それ以上にアークレインが心配だ。

(アーク様……)

もし彼が死んでしまったらどうしよう。

そう思った瞬間、目の前が真っ暗になった。

◆　◆　◆

気が付くと、アークレインは上空に浮かんでいた。

異能を使っている訳ではないのに何故だろう。

首を傾げて周囲を見渡すと、眼下に子供の姿が見えた。

子供は幼少期の自分自身で、なんとなく状況を把握する。

恐らくこれは夢だ。

夢である事を自覚しながら見る夢、明晰《めいせき》夢という奴に違いない。

小さなアークレインがいるのは、宮殿の庭だった。

『会いたい』

そんな自分の声が頭の中に響いた。

（これは……）

『生まれたばかりの弟とお義母様に会うんだ！』

再び響いた声に悟る。これは子供の頃の自分の思考だ。いや、思考だけでなく感情も伝わって来る。

そしてアークレインはこの夢が過去、現実にあった事なのだと気付いた。

「行くな！」

アークレインは子供の自分を止めるために手を伸ばした。しかしその手はするりとすり抜けてしまう。

これは異母弟が生まれたばかりの時の夢だ。まだトルテリーゼ王妃との関係も良好だった時の――。

当時アークレインは七歳で、既に天秤宮を賜り、父や外戚のロージェル侯爵家が選定した側近達との生活を始めていた。

過去のアークレインが人目を避け、庭の茂みを抜けて向かった先は、王族だけが知る秘密の抜け道だ。獅子宮の庭園に作られた石畳の小径《こみち》。その一角に、所定の手順でマナを流すと非常事態に備えた隠し通路が現れる。

アルビオン宮殿の内部には、このような仕掛けが無数に存在している。

アークレインも全てを知っている訳ではない。その全容を把握しているのは歴代の国王だけだ。

こっそりと獅子宮に忍び込むという手段に出たのは、臨月に入ってからトルテリーゼと会えない日々が続いていたからだ。出産を控えた女性は体が思うように動かなくなって大変なのだと周囲から諭され、幼いアークレインは寂しいのをずっと我慢していた。

お産は無事終わったと連絡は来たのに、何日待っても面会の許可が下りなくて、アークレインは我慢の限界に達していた。

だからこの日、王妃と異母弟に会うために獅子宮に忍び込む事にしたのだ。周囲の側近をまいてこっそりと侵入するのは、既に異能に覚醒していたアークレインには簡単だった。


身体が勝手に動いて、幼少期の自分に合わせて風景が移動する。

この先自分に起こる過去の出来事を見たくないのに、自分の意思ではどうにもできない。

苦々しい思いを抱きながらアークレインは子供の自分を見下ろす。

そうこうしているうちに、小さなアークレインはトルテリーゼの部屋へとたどり着いてしまった。

その時、トルテリーゼはベッドの上で半身を起こし、腕に新生児のリーディスを抱いて子守歌を歌っていた。聖母子を描いた宗教画のような光景だ。

ふとトルテリーゼが目線を上げ、小さな侵入者に気付いた。当時は全く気付かなかったが、アークレインを発見した瞬間、トルテリーゼの顔は凍り付いた。

「お義母様！　弟を見せて下さい！」

小さなアークレインは、ぱあっと顔を輝かせ、トルテリーゼに駆け寄る。そしてトルテリーゼの腕の中にいるリーディスを覗き込んだ。

リーディスはすやすやと眠っていた。

まだ生後二週間の新生児だ。周りの女官からは「顔が赤くてくしゃくしゃで、お猿さんに見えるかもしれません」なんて予告されていたけれど、想像していたよりもずっと可愛らしかった。

確かに顔は赤い。だけど顔はまんまるで、思ったよりもずっとふっくらとしている。

七歳の自分より更に小さな可愛い手には、これまた小さなピンクの爪がついていた。こんなに小さいのに自分と同じ形をしているのに妙な感動を覚え、その指先に触れるためにアークレインは手を伸ばす。

——その時だった。

トルテリーゼがアークレインの手をパシンと叩いた。

「触らないで！」

険しい声にアークレインは呆然とする。

「王妃陛下！　何かございましたか!?」

入ってきたのは王妃付きの女官だった。女官はアークレインの姿を見て目を見開く。

「アークレイン殿下!?　一体どこから……」

「その子を追い出して！」

トルテリーゼは叫びながら手近にあったぬいぐるみを投げつけてきた。

新生児用に用意された布製のぬいぐるみだ。当たっても痛くはなかったが、これまで優しかったトルテリーゼの豹変した態度に衝撃を受け、アークレインは硬直した。

「リーディスには触らせないわ！　この悪魔！　あっちに行け！」

枕を、クッションを、ベッドの上にあったものを順番に投げつけられる。アークレインは間に割って入った女官によって、暴れるトルテリーゼから引き離された。

「王妃陛下は出産の後からお加減が良くないのです。殿下、申し訳ございませんが今日はお帰り下さい」

女官は困り切った表情でアークレインに告げた。

子供時代の自分にとって、優しかったトルテリーゼが錯乱して大暴れする様子は信じられないものだった。

周囲が滲んで場面が切り替わった。

天秤宮に戻ったアークレインは、ハオランやネヴィル、今はもう既に引退した乳母などの既婚の職員に慰められている。

「殿下、子供を産んだばかりの女性の中には野生の動物のようになる方がいらっしゃるんですよ。私も妻の出産直後不安定になった妻にかなり噛みつかれました」

「そうです。例えば出産直後の母猫の中には、子猫を守るために凶暴化する個体がいます。それと同じように、王妃陛下も精神的に不安定になっていらっしゃるようです。だから面会の許可もなかなか下りなかったみたいで……」

後日サーシェスからも、トルテリーゼの状態について説明があった。

彼女はお産の影響でかなり神経質になっており、周りの何もかもが敵に見えている状態で、サーシェスも迂闊《うかつ》な発言が原因でクッションを投げつけられたそうだ。

そして、しばらく獅子宮には近づかないようにと言い渡された。


――また場面が変わった。

小さなアークレインは獅子宮の庭のガゼボでトルテリーゼと向かい合って座っている。

「ごめんなさいね、アークレイン。あの時は少しおかしくなっていたみたいなの」

紅茶色の髪色から赤薔薇に例えられるトルテリーゼは、華やかな美貌に穏やかな笑みを浮かべ、女官に運ばせたワゴンの傍に立って手ずからお茶をティーカップに注いだ。

遥《はる》か東方の大国、央《ヤン》帝国製の薔薇の花が描かれた白磁のカップに、トルテリーゼの髪色のように綺麗な深みのある紅いお茶が注がれる。


……この夢は匂いも感じられるらしい。

お茶の香りが辺りにふわりと立ち込めた。これは、トルテリーゼが好んで飲んでいたエルダーフラワーの香りを付けた紅茶の香りだ。

白葡萄《しろぶどう》に似た甘い香りに、夢の中だというのに気分が悪くなる。

この匂いは嫌いだ。思わずアークレインは口元を押さえた。その一方で、小さなアークレインは嬉しそうな笑顔をトルテリーゼに向ける。

「お気になさらないで下さい、お義母様。命がけのお産を体験されて、気持ちが落ち着かなくなる事はよくあると聞きました。私は気にしていません」

「アークレインが優しくて嬉しいわ。またこれまでのように仲良くして下さいね」

トルテリーゼはにこやかに微笑むと、お茶を淹れたティーカップをアークレインの前に置いた。

少年時代のアークレインは嬉しそうにそのカップに手を伸ばす。

「駄目だ！　飲むな！」

制止は届かない。子供のアークレインがカップを傾け、お茶を口に含んだ瞬間、こちらの口の中にも、異様な苦味と熱が広がって――。

◆　◆　◆

喉の激痛に目覚めたアークレインを襲ったのは、また質の違う激痛だった。

喉は痛くないが、今度は全身が痛い。

視界に入ってきたのは見覚えのあるベッドの天蓋《てんがい》だ。

（ここは……）

天蓋の形から天秤宮の自分個人の部屋の寝室だと把握する。

続いて直前の記憶を探り、アークレインは何となく自分の今の状況を把握した。

ロバートの体が銀の光を帯びて、嫌な予感に念動力で自分を守ろうとしたが間に合わず——竜に変わりつつあった男の体は、突如大きな光の奔流へと変化し、自分の体は後方に吹っ飛ばされた。

意識を失う前に見た自分の体を思い出す。硝子の破片や木の枝が突き刺さっていたから、全身の痛みの正体はそれだろう。

ここに運んでくれたのは、きっと側近の誰かだ。

全身が痛いだけでなくやけに暑かった。どうやら発熱しているらしい。

と、いうことは、あの悪夢は熱が見せたのかもしれない。


あの時アークレインのお茶に盛られていたのは洗剤だった。幸い致死量には至らなかったものの、異物が混入された紅茶はアークレインの口の中を灼《や》いた。

ゲホゲホと噎《む》せ返るアークレインを、トルテリーゼは愉悦の表情を浮かべて見下ろしていた。魔女のようなその姿は今でも脳裏にこびり付いている。

状況を考えると、アークレインに洗剤を盛ったのはあの女だ。

しかしあの件は事故とされ、茶器を準備した下女の不手際という事で『処理』された。

この事件の性質の悪さは、盛られたのが毒ではなく、宮殿で普通に掃除のために使用されていた洗剤というところにある。

この日を境に、トルテリーゼは笑顔でアークレインに悪意を示すようになった。

アークレインにさりげなくぶつかってきたり、品位保持費を削るよう父に進言したり、ミリアリアの遺品である装飾品を貸してくれとねだったり——品位保持費や母の遺品についてはサーシェスが王妃を叱って却下したので、実害はぶつかられた体が痛いくらいだったが、それまで優しかった継母《ままはは》の豹変はアークレインの心を深く傷付けた。

また、この頃から天秤宮で不審な事件が起こり始めた。

食事に毒や腐った食材を混ぜられたり、暗殺者が送り込まれてきたり——。

決定的な証拠は出なかったものの、王妃や王妃の背後にいるマールヴィック公爵が糸を引いているに違いなかった。

伯父でクラウスの父でもある前ロージェル侯爵の手を借りて職員を一新し、警備体制を見直すまで、宮殿の中はアークレインにとって安心できる場所ではなくなった。

異能に目覚めていなければ、もしかしたら今頃土の下で冷たくなっていたかもしれない。

生《な》さぬ仲の親子関係が、実子の誕生をきっかけにおかしくなるなんてよくある話だ。リーディスが生まれて継子のアークレインが憎らしく見えるようになったのだろう。その心情はアークレインにも理解できる。だけど。

そうなるのなら、初めから優しくして欲しくなかった。

アークレインの中にある人間不信の根源はあの女だ。人は裏切る。それをわずか七歳にしてアークレインは思い知らされた。

エルダーフラワーの香りだけでなく、アルコールも苦手なのは、あの日飲まされた洗剤入りの紅茶のせいだ。度数の高い酒は特に駄目で、喉を通る時の感触があの時の記憶を思い起こさせる。

アークレインはため息をつくと周囲を見渡した。喉が渇いていたので水を探すためだったが、そこで、こちらを覗き込む人影の存在に気付く。

「アーク様……？」

エステルだった。彼女はただでさえ大きな赤紫の瞳を、更に大きく見開いて、アークレインの顔を凝視している。

みるみるうちに瞳が潤み、涙が頬を伝った。

泣かせてしまった。罪悪感が湧き上がる。

今は日中のようだが、カーテンが全て閉ざされているため室内は薄暗い。そんな状況でもわかるくらいエステルは憔悴した顔をしていた。

「意識が戻られたんですね、よかった……」

涙を流しながらも破顔する彼女は、儚《はかな》げで今にも消えてしまいそうだった。

「ずっと、そばに……？」

尋ねる声は、自分でもびっくりするくらい嗄《しわが》れていた。

「あっ、お水をお持ちしますね！」

エステルはハッと顔を上げると、すぐにベッドサイドのテーブルの水差しから吸い飲みに水を移し、アークレインの口元にあてがってくれた。

「汗をたくさんかかれているので……気持ち悪くないですか？」

アークレインが満足したのを確認すると、エステルは吸い飲みをテーブルに戻し、水差しの傍にあったボウルから濡れたリネンを取り出した。そしてリネンをしっかりと絞り、アークレインの頬に当ててくれる。

「お体は我慢して下さいね。包帯だらけなので……」

エステルは額や首元に順に冷たいリネンをあててくれた。

「……今は何日の何時？　怪我をしてからどれくらい経ったんだろう」

喉を潤したおかげか、声は先ほどと比べると、随分マシになっていた。

「今日は三月二日です。今はお昼の二時ですね」

ほぼ一日経過した計算になる。

「昨夜は危篤状態だったんですよ。意識が戻って本当に良かった……王族でなければもしかしたら……」

「王族はしぶといからね。マナの量に悩まされた事もあったけど今回は感謝かな……」

脳裏をよぎるのは異能に目覚めたばかりの頃の記憶だ。制御できるようになるまで王族の『覚醒者』は大抵苦労する。

「私が気絶した後どうなったか知ってる？　侯爵邸の様子が知りたい」

アークレインの質問に、エステルは首を横に振った。

「申し訳ありません、私もまだ何も知らないんです。クラウス様があちらに向かわれて、ハオランやキアンと一緒に事後処理に当たっているようなのですが、二人ともまだこちらに戻ってきていなくて……アーク様が気を失う前に指示された通り、隠蔽する方向で動いているのだとは思うのですが……」

確かに痛みで意識が朦朧《もうろう》とする中、自分を介抱するために近づいてきた誰かに、『隠せ』と言った気がする。

「私の公務は……？」

「性質の悪いお風邪を召したという事にしました。明後日には看病していた私が倒れて生死をさまよう予定です。アーク様は私を大変寵愛《ちょうあい》されている設定になっていますから、それで四、五日は誤魔化せるはずです」

「……そうだったね」

何しろ先日の戦没者追悼式典では、エステルを本来入れない王族席に入れたばかりか、体調不良の彼女を天秤宮まで連れて帰るためチャリティーコンサートに遅刻している。

アークレインは苦笑いをうかべようとして、あまりの痛みに顔をしかめた。……というか、そろそろ限界だった。

「何かわかったら起こしてもらえないだろうか。眠い……」

「はい、ゆっくり休んで下さい」

「エステルもちゃんと休んで欲しい」

「ええ。アーク様がお休みになったら私も少し横になりますね」

あまり信用できないな、と思いつつも、痛みと熱っぽさで目を開けるのすら辛《つら》かったので、アークレインは瞼を閉じた。

◆
◆
◆

同時刻、レインズワース侯爵邸――。

オリヴィア・レインズワースは、邸の中央部最東端の一階に位置する客室でぼんやりと過ごしていた。

気が付いたらオリヴィアはこの部屋にいた。室内にはどこか見覚えのある女性がいたが、彼女が誰なのか、どうして自分の部屋ではなくこの部屋にいるのか、疑問に思いつつも尋ねる気力がなかった。

邸の中の人間関係も、オリヴィア自身もぐちゃぐちゃだ。父が倒れたのをきっかけに邸に入り込んだ、たった一つの異物によって滅茶苦茶になってしまった。

あの男――ロバート・テイラーは一体何者だったのだろう。あの男が現れてから邸内で起こった出来事は、悪夢としか思えない。

……いや、悪夢の始まりを考えると行きつくのは、アークレインとエステルの婚約発表が行われたニューイヤーパーティーだ。

あの日、王子妃になれないと確定してから、邸の中の空気は険悪になった。

恋破れたオリヴィアだけでなく、両親も荒れた。特に母の荒れ方はすさまじかった。

オリヴィアが初めてアデラインに疑問を抱いたのは、アークレインに対する自分の気持ちが落ち着いてきた時だ。

父が持ってくる新しい縁談に、母は何かと文句をつけてきた。

『姉に劣るのは可哀想』というのが彼女の言い分だったが、オリヴィアとしては自分を望んでくれて、平穏な家庭が築ける『そこそこ』の家柄の相手であればそれで十分だった。

更に条件を付けるなら、生理的嫌悪感が湧かない見た目だとか、優しい人だとか、色々と思い浮かびはするけれど、母がやけにこだわる家柄や地位はオリヴィアにとってはそれほど重要ではなかった。

（お母様の望みは、『こんなに素晴らしい子供達に囲まれた私』だったのよね、きっと）

レインズワース侯爵の妻に選ばれ、アメリクス総督夫人・王子妃・後継者となる男子を産んだ、他の誰よりも優れた貴婦人――縁談にケチをつけるアデラインの姿から窺えたのはそんな理想だ。だけどそれは、母を慕っていたオリヴィアには認めたくないものだった。

縁談が絡まないときのアデラインは優しい母親だった。

一緒に衣装や宝飾品をあつらえたり、ピクニックや観劇に出かけたり、友人のような姉妹のような気安さもある母娘関係だったと思う。


母に対する不信感が膨れ上がりつつあった矢先に父が倒れた。夫婦喧嘩の最中だった。

喧嘩の原因は例によってオリヴィアの縁談だ。

前日の国王の即位記念式典の時、オリヴィアは父が婚約者候補の一人と考えていたフランシールの外交官と意気投合した。それが相当気に食わなかったらしい。

そして父が入院し、その心労から母も倒れ、ロバート・テイラーが邸の中に入り込んできた。

ロバートに傾倒し、だんだん行動がおかしくなっていく母に苦言を申し立てた後、更なる悪夢がオリヴィアを襲った。

口論になって、アデラインに頬を強く叩かれてよろめいて――次に目が覚めた時、オリヴィアの体は自分の意志では動かせなくなっていた。

愕然《がくぜん》とするオリヴィアをよそに、自分ではない何者かが体を勝手に動かし始めた。傍に付きっきりだったアデラインに微笑みかけ、こう言ったのだ。

「ごめんなさい、お母様、私が間違っていたわ。ロバートはとってもいい人なのに」


オリヴィアの自我は、自分ではない何者かが体を動かす姿を黙って見る事しかできなかった。それは許し難いだけでなく、薄気味悪く、吐き気のする光景だった。

そしてオリヴィアは、ロバートとアデラインの会話から気付いてしまった。

この気持ち悪い状態を作り出したのは、首に装着されたチョーカー型の古代遺物《アーティファクト》で、しかもそれを持ち出し、オリヴィアを操っているのがアデラインだという事に。

それからの自分の行動は思い出したくもない。忌々《いまいま》しいチョーカーは、オリヴィアなら絶対にやらない行動を取り続けた。

ロバートを褒め称《たた》え、アークレインへの未練を語り、エステル・フローゼスへの嫉妬心をむき出しにする。それは、アデラインが望んだ理想の『オリヴィア』だった。

遂には恥も外聞もなくアークレインに招待状を送り付け――。

(嫌！　思い出したくない！)

オリヴィアはソファの上で頭を抱えて蹲った。

ややあって、オリヴィアはふと疑問に思った。

どうしてアークレインはあんな変な招待に応じたのだろう。

そして、邸に迎え入れた時の彼の様子を思い出す。

アークレインは支離滅裂な態度を取るオリヴィアに調子を合わせていた。かと思ったら、同席していたロバートが急に苦しみだし、不気味な姿に変貌した。

「うっ……」

思い出したら吐き気がこみ上げてきた。骨が、肉が盛り上がり、髪が抜け落ち、かと思ったら膨れ上がり、むき出しになった肌には黒い鱗が生えてきて――。

それを見た『オリヴィア』は悲鳴を上げた。この時ばかりは『オリヴィア』とオリヴィアは同調していた。叫んで叫んで叫びまくった後の記憶がないから、きっとあまりの気持ち悪さに気を失ったのだと思う。

次に目が覚めたら朝で、その時には『オリヴィア』は消えていた。


体の主導権を取り戻したオリヴィアは、再び混乱状態に陥って金切り声をあげた。

比較的落ち着いた今も、頭の中はまだぐちゃぐちゃの状態が続いている。何よりも耐えられないのは、朝の醜態を何故か（恐らくアークレインの命令で）、邸に滞在していたクラウス・ロージェルに見られた事だ。

彼は常にアークレインに付き従っており、同一派閥に属していたからそれなりに付き合いはあったけれど、表情がほとんど動かず、何を考えているのかわからないから苦手だった。

オリヴィアは、扉の前に直立し、じっとこちらに視線を注ぐ女性の顔をちらりと見た。

恐らく彼女は、オリヴィアが馬鹿な真似をしないか見張っているに違いない。

そっとしておいてくれるのは助かるが、監視されていると思うと気持ちが滅入った。

彼女の特徴的な東洋系の顔立ちには見覚えがあった。アークレインと親しくしていた時に天秤宮で見かけた記憶がある。

(別に監視なんてしなくてもいいのに)

オリヴィアは心の中でつぶやく。

自殺なんてしない。死ぬにも勇気が必要なのだ。オリヴィアは痛いのも苦しいのも恐ろしかった。

(……そういえば、殿下とあの男はどうなったのかしら)

ふと、『自分ではない自分』が最後に見た光景が気になった。

気になるのは二人の事だけではない。オリヴィアがこんな状態なのに、ちっとも顔を見せに来る気配のないアデラインの動向もだ。

アークレインに仕える彼女なら何か知っているだろうか。

しばしの逡巡《しゅんじゅん》のあと、オリヴィアは意を決して女性に話しかけた。

◆
◆
◆

「殿下が今どうされているのかは、私にはお話しする権限がございません」

折角勇気を振り絞って話しかけたというのに、メイベル・ツァオと名乗った天秤宮の女官は首を振ると、扉の向こうにもいたらしい見張りに声を掛けに行った。

そして少し経ってから、クラウス・ロージェルが部屋にやって来た。

「落ち着きましたか？　オリヴィア嬢」

「……はい」

最悪だ。恥ずかしい姿を見られたこの男と話さねばならないなんて。

「座らせていただきますね」

クラウスは断りを入れると、オリヴィアの前に腰を掛けた。

「ご自分を取り戻したように見えますね」

「そうかしら」

今の自分の状態なんてわからない。まるで夢の中にいるようにふわふわして、頭の働きが鈍っている。しかし、いつも冷静沈着なクラウスにそう見えるという事は、自分がまともなのだと保証されたような気がした。

「何から話せばいいのか……まず前提として私がここにいる理由からお話ししましょうか。結論から申し上げると私やアークレイン殿下は、この邸にロバート・テイラーという不審な男が入り込んで、アデライン夫人やあなたの様子がおかしくなる一部始終を把握していました」

クラウスの言葉にオリヴィアは大きく目を見開いた。

「どういう事……ですか……?」

「方法はお伝えできませんが、アークレイン殿下がエステル嬢と婚約した際、あなたのお父様は殿下に離反宣言をされた。その時から侯爵家の動向を監視していたという事です」

『薔薇の影』という単語が脳裏に浮かんだ。王家が所有する諜報機関。

(まさか諜報員がこの邸に……?)

アークレインの王族としての一面を見てゾクリとした。

あの人はただ優しく穏やかなだけの王子様ではない。それもそうだ。継母である現王妃と対立しており、様々な思惑が渦巻く宮廷で生きている人なのだから。

「こちらはあなたの身に起こった事をほぼ把握している、というのをまず知っておいて下さい。その上でお聞きします」

クラウスは静かに告げると、まだ室内にいるメイベルに目配せをした。するとメイベルが何かを部屋の片隅から持ってくる。机の上に置かれた『それ』を見てオリヴィアは息を呑んだ。

それは、オリヴィアを操った忌々しいチョーカーだった。

「まず、ある日を境にあなたの様子が劇的に変化した原因は、このチョーカー型の古代遺物《アーティファクト》で間違いありませんか?」

金属製のチョーカーには魔導石が埋め込まれ、台座にはびっしりと古代文字が刻まれている。誰がどう見ても古代遺物であることが明らかだ。

「そうですね。それを付けられてからの私は私ではありませんでした」

朝、目が覚めて、混乱状態になった時にあまりにも腹が立って、首からむしり取って床に投げつけた記憶がある。その後どこに行ったのか気にも留めていなかったが、恐らくメイベルが回収したのだろう。

「この古代遺物を使ったのはロバートですか」

「いいえ」

否定すると、クラウスは眉をひそめ首を傾げた。

「では誰が？」

「……お母様よ」

この答えはクラウスには意外だったらしく、感情表現が乏しい彼には珍しく呆気《あっけ》にとられた表情になった。

「夫人が？　娘のあなたに？」

「そうよ。ロバートを追い出そうとした私が目障りだったんでしょうね。その古代遺物はお母様の家に代々伝わっていたものなんですって！」

八つ当たり交じりに強く言い切ると、クラウスは「夫人の生家……」とつぶやいた。

「フランシールの名門、ラ・フォルジュ伯爵家ですか。確か宰相を出した事もある古い歴史ある家柄でしたよね……」

「今はもうありませんけどね。三十五年前の政変で取りつぶされたので」

「古い家柄になら、強力な古代遺物《アーティファクト》が眠っていてもおかしくはないですが……夫人はそこまでロバートに入れあげていたんですか……」

「そうよ。笑えるでしょう？　ところでお母様は一体どうしているの？　ちっとも姿を見ませんけど！」

「夫人はここに来られるような状態ではありません」

クラウスは気まずげに視線を伏せた。

「それは、どういう……」

「どうもロバートは夫人に依存性のある薬物を盛って、それで自分の虜《とりこ》になるよう暗示をかけていたようです。あなたにも心当たりはありませんか？　妙に甘ったるい匂いのするお茶ですよ」

「あ……」

心当たりはある。母や侍女《レディースメイド》達、女中長《ハウスキーパー》などは喜んで飲んでいたけれど、オリヴィアはどうしても苦手で飲めなかったお茶だ。

「よく考えてみて下さい。ロバートに好意的だった人物は、あのお茶を好んで飲んでいませんでしたか？」

「言われてみれば……」

「あのお茶を頻繁に飲んでいた者は、今一律にまともな思考ができなくなっています。お茶を求めて、それ以外何も考えられない状態です」

オリヴィアは息を呑むと口元を押さえた。

「私も、飲んだわ……チョーカーを付けられてからだけど……」

アデラインがそう望んだから、チョーカーが作り出した『オリヴィア』は、苦手な味だと思いつつも我慢してお茶を口にしていた。

「今は大丈夫でも、後々何かの影響が出るかもしれませんね。何か異常があればすぐに教えて下さい」

震えるオリヴィアにクラウスは生真面目な表情で告げた。

彼の母、シエラとアデラインの確執は有名だ。それを思うと素直に頼るのは抵抗がある。だけど今のオリヴィアには頼れる人は他にいない。じわりと涙腺が緩んだ。

こんな事で泣きたくなかったから、オリヴィアは瞬《まばた》きを繰り返して涙を散らす。

「今あなたにお伝えするのも気が引けるのですが……アデライン夫人の状態は特に悪いです。短期間で随分とやつれて……」

「それはお茶だけではなくて、その古代遺物のせいかもしれません。その古代遺物……『人形化《ドーリフィケーション》のチョーカー』は、代償に寿命を削るってお母様が言っていました……」

「寿命を、ですか……」

「ええ。そこまでするほど私が目障りだったという事でしょうね……」

「…………」

クラウスは難しい表情で黙り込んでしまった。恐らく、どう声を掛けていいのかわからないのだろう。下手に慰められるよりはずっといい。オリヴィアは目を伏せた。

「……ところで元凶は？　私達を滅茶苦茶にしたロバートは今どこに？」

「彼は……消滅しました」

「は？」

オリヴィアは呆気にとられた。

「あの男は、我々が別件で追っていた犯罪者に繋がると見られていた人物だったんですが……この邸に現れ、明らかに様子がおかしいあなたに普通に接する殿下を見て、自分を捕らえに来たのを悟り、所持していた古代遺物で殿下を道連れにしようとした……ようです」

「気絶する直前の記憶では、黒くて大きな化け物になったように見えたわ……」

オリヴィアは呆然とした表情でつぶやいた。するとクラウスは、深くため息をつく。

「あの男が所持していたのは、人の体を骨格単位で別人のものに作り替える、いわば『変身』の効果を持った古代遺物です。あの男はどうやらその力を使って、アデライン夫人が大好きなオペラ歌手の容姿に化けて侵入をしたと思われます」

「何よ、それ……」

「なかなか狡猾《こうかつ》ですよね。最初はわざと田舎臭い容姿と雰囲気を出して油断させ、夫人が衣装を貢いで身なりを整えさせたら、大好きなオペラ歌手の顔が出てきたんですから」

あの男も古代遺物を持っていた。しかもそれを活用してまんまとこの家に入り込んできた。

クラウスの口から飛び出る言葉が非現実的に感じられて、頭の中で上手く消化できない。

「その古代遺物は、変身したい対象の血液を垂らしマナを込めると発動するそうです。どうもあの男は、それを使って飛竜に変身しようとしたみたいですね。ただ、さすがにマナが足りなかったのか、そもそも人以外のものにはなれないようにできていたのか……どういう理屈かはわかりませんが、変身途中で体が崩壊し、爆発を引き起こしたとその場にいた者からは聞いています」

証言したのは、きっとアークレインに付いてティーパーティーにやって来た護衛や侍従達に違いない。

「爆発って……、殿下は……？　あの方は『覚醒者』だからご無事ですよね……？」

「邸内での変身を阻止するために異能を使って庭に追いやったところまでは良かったのですが……爆発に巻き込まれ負傷されました。今は天秤宮にお戻りになって治療を受けられています」

「そんな……嘘よ……」

「嘘だと思われるなら庭をご覧になりますか？　ひとまず爆発の影響がなかった部屋に運びましたが、庭と温室は酷い有様ですし、爆発地点から比較的近かった邸の西側は窓硝子が軒並み割れました」

クラウスの提案に、オリヴィアは頷いた。

◆　◆　◆

クラウスに促され、客室の窓から庭を覗くと、ぐちゃぐちゃになった庭と骨組みだけになった温室が視界に入ってきた。そしてクラウスから聞いた通り、西棟の庭に面した部分の窓が軒並み窓枠だけになっている。

オリヴィアはぽかんと口を開けて木々が薙《な》ぎ倒され、無残な状態になった庭を見つめた。温室の残骸の近くでは、庭師や御者など、男手を中心に使用人達の姿が見える。どうも瓦礫《がれき》の後片付けをしているようだ。

「殿下は意識を失う前に『隠せ』と命じられたそうです」

「隠す……？」

「殿下の暗殺を疑われても仕方のない状況でしたし……ここに殿下がいらっしゃった事が明るみに出た場合、誰も得をしない。妥当なご命令だと思いましたので我々はその方向で動いています」

「そうね、言われてみれば、そうだわ……」

「ただ、爆発の規模が規模ですし……お茶への依存症状が出ている人数が多すぎる。完全な隠蔽は難しかったので、こちらで筋書きを考えて処理を進めています。私がここに来たのは、円滑に事を進め、かつ、首都警察や首を突っ込んで来ようとする記者に圧力をかけるためです。あなたが気を失っている間に勝手に進めて大変申し訳ないのですが、何卒ご了承下さい」

「…………」

「クラウス様、オリヴィア嬢はお疲れのようです。ようやく落ち着かれたばかりですし、そろそろ休ませてあげた方がいいのではないでしょうか」

頭がうまく働かなくて、反応が鈍ってきたオリヴィアを見かねたのか、メイベルが間に割って入ってきた。

「……メイベルの言う通りですね。申し訳ありません、オリヴィア嬢。私は人の気持ちを推し量るのが苦手なのです」

「いえ……存じ上げていますから……」

記憶力が極めて高く、文官としては非常に優秀だが、代わりに感情の欠落した人物――それがオリヴィアの知るクラウスだ。


これからこのレインズワース侯爵家は一体どうなるのだろう。

オリヴィアは虚《うつ》ろな瞳で崩壊した邸を見つめた。

◆◆◆

うたた寝から覚醒したエステルの視界に入ってきたのは、見慣れない天井だった。

（ここは……）

天井の材質は同じだけど照明の形が違う。そして壁に視線を移すと、室内にはダークブラウンで統一された書棚やクローゼットなどの家具が据え付けられているのが見えた。

清楚《せいそ》で可愛らしくまとめられた自分の部屋とは違う、重厚で、より男性的な印象のこの部屋はアークレインの部屋だ。

（……さすがに疲れて寝たんだった）

ている。

エステルはアークレインの寝室のソファを借りて横になっていた。

ベッドよりは手狭だけど、エステルが眠るには十分な広さがあったので、それなりに疲れは取れている。

ゆっくりと身を起こすと、エステルは大きく伸びをした。

既に夜らしく辺りは真っ暗だが、ソファ近くのテーブルに置かれたランプが間接照明の役割を果たしている。その明かりを頼りに時計を確認すると七時を指していた。

アークレインが眠るのを確認してからエステルもソファに横になったから、四時間以上は眠っていた計算になる。

ランプをつけっぱなしにしているのは、明かりが無いと看病がしにくいからだ。エステルはソファの傍に脱ぎ捨てていたルームシューズをひっかけると、アークレインの横たわるベッドへと向かった。

ベッドの傍に置いた椅子にはリアが座っている。

アークレインは身の回りの世話をする側近をハオランしか置いていない。彼付きの王室護衛官《ロイヤルガード》のキアンが半分侍従のような役割を果たしていた。その二人は現在クラウスと一緒にレインズワース侯爵邸に滞在しており、まだ戻ってきていない。

また、エステル付きの女官のメイも女手がいるという要請があったため侯爵邸に向かったから、今エステルの身の回りの世話やアークレインの看病の手伝いを一手に引き受けているのはリアだ。

だから彼女もろくに眠れず疲れ切っているはずで、椅子に座ったまま目を閉じていた。

「リア」

声を掛けると、リアはぴょこんと跳び上がった。

「ごめんなさい、驚かせてしまったわね」

「いえ！　申し訳ありませんエステル様、意識が飛んでいました！」

「アーク様の様子は？」

「ずっと眠られています。夕方にお医者様が包帯を替えにいらっしゃいました。傷口は塞がり始めているみたいです。王族の回復力は凄いと驚いていらっしゃいました」

「そう、良かった……」

エステルは少しだけ安心した。

天秤宮の主治医はかつてエステルの銃創を診てくれたのと同じ医師だ。ロージェル侯爵家の縁者なので秘密が漏れる心配もないし、腕も確かだと聞いている。

その彼の見立てによると、特に重いのは木の枝が深く突き刺さっていた腹部の傷で、他にも何カ所か、王族の回復力を持ってしても傷痕が残る可能性があるそうだ。

「リア、交代するから控室で眠ってきて。何かあれば呼ぶから」

「はい、お言葉に甘えさせていただきます」

普段なら遠慮する事が多いリアだが今日は素直だ。

非常事態には体力がいる。体力の源は食事と睡眠だ。フローゼス伯爵領では、竜伐の手伝いに従事する事もあった彼女はそれをよくわかっている。

リアが退室し、アークレインと二人きりになったエステルは、彼の顔を見つめた。アークレインは静かに眠っている。

命の危険があると聞いた昨夜は、心配のあまり一睡もできなかった。今はもう安定して、後は回復を待つだけらしい。医師の診立てに不安は和らいだものの、完全に消えた訳ではない。

アークレインが死ぬかもしれないという状況で、エステルは、彼への気持ちを思い知らされた。

この人が生きていてくれれば、他に何もいらない。

そして後悔が湧き上がった。どうして彼が出かける前、くだらない嫉妬心など抱いたのだろう。

「早く起きて下さいね……」

エステルは小さな声でアークレインに語りかけた。

◆◆◆

窓際から離れたオリヴィアは、退室するクラウスを見送ってからぐったりとソファにもたれかかった。そして深く息をつき、彼から聞いた情報を整理する。でもうまく考えがまとまらない。

怒り、不安、焦燥、哀しみ、そんな負の感情が頭の中をぐるぐると駆け巡る。

オリヴィアは再びため息をつくと、ソファに置いてあったクッションを抱え込んだ。

再びクラウスがオリヴィアの所にやって来たのは、夜、部屋に運び込まれた食事をそのまま返した直後だった。

「食事に手を付けなかったそうですね」

開口一番にそう言われ、責められているような気分になる。

「こんな状況では喉を通りません」

「そうでしょうね。ただ、それを見た厨房の使用人があなたに会わせろとうるさいんですよ。……入りなさい」

クラウスが扉の方向に声を掛けると、そこから一人の女中《メイド》が顔を覗かせた。

厨房で働く料理女中《キッチンメイド》だった。

「お嬢様のお好きなラズベリーのソルベを作ってきたんです。これなら召し上がれませんか……？」

料理女中はトレーを持っており、確かにその上にはソルベが綺麗に盛り付けられた硝子の器が載っていた。

「……ありがとう」

喉越しの良いソルベなら食べられるかもしれない。オリヴィアは硝子の器を受け取ると、スプーンでソルベを掬い取った。

「もし召し上がれそうな物があったら遠慮なく仰って下さい。あたし達はお嬢様の味方ですから」

オリヴィアに声を掛けると、料理女中はぺこりと一礼して去っていった。

「随分と侯爵家の方々は使用人から慕われていますね。おかげで大変協力的で助かります」

「協力的？」

「侯爵家を守るために、と、進んで事件の隠蔽に協力してくれています」

「そう、ですか……」

頭の中をよぎったのは、昼間見た瓦礫を片付ける使用人達の姿だ。

「彼らに言わせると、こんなに待遇が良くて働きやすい職場はそう無いらしいですよ」

「…………」

心は鈍って何も感じないのに、何故かオリヴィアの頬を涙が伝った。

◆◆◆

——あつい。

体が、全身が熱を帯びている。

随分と久しぶりに味わう発熱の感覚に、アークレインは眉を寄せた。

すると何か顔に冷たくて気持ちいいものが触れる。その正体を確かめたくて目を開けると、こちらを覗き込むエステルの姿が見えた。

エステルの手が頬に触れていた。気持ちいいと感じたものの正体は彼女の手だったようだ。

「ごめんなさい、アーク様。熱が上がってきたようだったので確認しようと思っただけなんですが、起こしてしまいましたよね」

「いや……冷たいのが気持ち良くて目が覚めただけだから……随分手が冷たいけど寒いの？」

「いいえ、そんな事は。私の手が冷たく感じるのは、きっと発熱しているせいだと思います」

エステルは泣き笑いのような表情をこちらに見せた。

「ご気分はいかがですか?」

「良くはないかな……痛いし暑い……」

「怪我をすると熱が出るんですよ。私もそうでした」

エステルの言葉に思い出したのは、出会いのきっかけになったロージェル侯爵邸での銃撃事件だ。確かにあの時のエステルは、二の腕を負傷した後、高熱を出して寝込んでいた。

「……顔が疲れてる」

「え?」

「君の。もしかしてずっと傍にいたんじゃ……」

今は夜らしく辺りは闇に包まれていたが、ベッドのカーテンの向こう側ではランプがつけられていて、そこから差し込むオレンジの光がエステルの顔を照らし出していた。

「残念ながらずっとではありません。途中でリアに代わってもらって眠りました。顔が疲れてるのは当然です。こんな状態でお帰りになったんですから心配します」

憂いを含んだ彼女の表情に罪悪感が湧き上がる。この結果を招いたのは間違いなく自分の油断だ。異能を過信しすぎていた。

「お目覚めでしたらお薬を飲みましょう。お医者様から薬湯をお預かりしています」

「薬湯か……」

アークレインは顔をしかめた。天秤宮の主治医が処方する薬湯は悪意を感じるくらい苦いのだ。

予想通り強烈な味の薬湯を飲み終わると、エステルは即座に冷たい水を入れた吸い飲みを差し出してくれた。

「苦すぎる。何でもうちょっとマシな味に作れないんだ……」

思わず苦情を漏らすと、エステルの表情にようやく笑顔が戻った。

「子供みたいです」

「他人事《ひとごと》だと思って。少し舐めてみるといい。そしたら私の気持ちがわかるはずだ」

その言葉にエステルは、薬湯の器の底を指で拭い、味見をした。途端に盛大に顔をしかめる。

「本当に不味《まず》いですね……」

本来なら鼻の息を止めて一気に呷《あお》りたい代物だが、体が起こせないのでスプーンで少しずつ飲ませてもらわなければいけなかった。味わう羽目になったので最悪である。

「動けないのが辛い……」

「きっとすぐ治りますよ。アーク様は王族ですから」

「そうだね」

人よりもずっと豊富なマナのおかげか、昼に目覚めた時よりも痛みは確実にマシになっている。

「その後、何かわかった事はある？」

「ハオランから連絡がありました。侯爵家はかなりの混乱状態になっているようです」

そしてエステルは、自分が把握している範囲での侯爵家の情報を教えてくれた。

「やはりアデライン夫人は薬物を盛られていたようです。お茶の姿をしたそれは、かなり依存性の高い危険な物だったようで、お茶を常飲していた人々には麻薬中毒者の依存症のような症状が出ており、とても話ができる状態ではなくなってしまったそうです」

アークレインが意識を失ってから、庭に飛び出してきたアデラインは惨状を目の当たりにして卒倒した。そして意識を取り戻した時には、お茶を求めてそれ以外の事が考えられない状態になっていたらしい。

「三年ほど前でしょうか……首都で屍喰鬼《グール》を題材に扱ったお芝居が流行ったのはご存じですか？」

屍喰鬼は異国の伝承に出てくる魔物だ。夜な夜な墓場に現れて、土葬された遺体を掘り起こし食べると言われている。

「『屍の森』？」

「それです！　それに出てくる飢えた屍喰鬼そっくりだったそうです」

「それは……」

アークレインも一度だけこっそり観劇した事があるが、特殊な化粧のクオリティーと役者の演技力が高かったので、かなりインパクトのある姿だった。血走った目やら口元から零《こぼ》れる涎《よだれ》やらが凄まじかったと記憶している。

（人をそんな状態にする薬物を使うとは……）

ロバートに対する怒りがふつふつと湧いた。

「……まともな使用人は？　全員がお茶を飲んでいた訳では無いはずだ」

「夫人やオリヴィア嬢がおかしくなった元凶はロバートですが、そのロバートは殿下を傷付けました。明るみに出れば、夫人や令嬢だけでなく、邸に仕える使用人も含めて大逆の共謀罪に問われる可能性がある——そう伝えて隠蔽に協力するよう言い含めました。幸い侯爵家の方々は随分と使用人達に慕われていたようですね。進んで協力してくれているようです」

「密偵から報告を受けている。上流階級の邸の中でも特に待遇が良くて、働きやすい職場だったみたいだ」

それもアデラインへの忠誠心が高いというのだから驚きだ。多感な少女時代に政変に巻き込まれて苦労した経験があるからか、下働きの使用人にも優しく、しかし締めるべきところはしっかりと締めて堅実に女主人として邸を取りまとめていたようである。

「オリヴィア嬢は？　彼女にもお茶の依存性が出ている？」

「いえ、幸い今のところは……オリヴィア嬢の様子がおかしかったのは、お茶ではなく古代遺物が原因だったので、別の状態になっているようです」

そしてエステルの口から語られたオリヴィアの身に起こった悲劇は、予想だにしないものだった。

「『人形化《ドーリフィケーション》のチョーカー』……しかもそれを操っていたのが夫人……」

一通りの報告を聞き終えたアークレインは、深く息をついた。

しかもオリヴィアは自我が残っていたというのだから地獄である。

「いま彼女は？」

「放心状態になっているようです。何とか立ち直ってくれたら良いんですが……」

彼女もロバートのお茶を口にしてしまっていた。これから何かの症状が出るかもしれない。幸い使用人達の間にはオリヴィアを支えようという動きはあるようだが、不安材料だらけだ。

「爆発の規模が規模でしたし、薬物に侵された人の数も多すぎて……『隠せ』とのアーク様のご指示通り、全ては隠しきれませんでした。邸に群がる警察やら記者は、クラウス様がロージェル侯爵としての権力を使って抑えて下さってはいますが……何らかの発表はするしかなくて、クラウス様とハオランが考えた筋書き通りに処理を進めています」

「……どんな筋書き？」

「ロバート・テイラーは悪魔崇拝者で、過労と心労で弱っていた侯爵夫人に近づき、『魔術的儀式をすれば侯爵が元通りになる』と囁いた。侯爵夫人はそれを本気で信じてしまい、周辺の使用人と一緒に薬物を用いた怪しい儀式に手を出してしまった――と。クラウス様は単なる詐欺師として処理しようとなさっていたのですが、ハオランがオカルト的な要素を入れた方が、オリヴィア嬢への世間の同情を集めやすいのではないかと意見したそうです」

「……確かに、私から目を逸らす効果も期待できそうだね」

霊媒師に宗教団体、魔術や神秘主義を標榜する秘密結社――それらが普通では考えられない事件を起こす……いくつか思い当たる事例がある。

「爆発はどう説明を？」

「腹心の侍女《レディースメイド》すら洗脳され、孤立無援の状態になったオリヴィア嬢に、かねてから彼女を気にかけていたクラウス様が手を差し伸べて邸に乗り込んだところ、逃走したロバートがやけになって庭で自殺を図ったという事に。火薬式の拳銃を使ったところ、運悪く付近に庭師が置いた引火性の土壌消毒剤があって爆発を……」

「……ちょっと無理やりな気もするけど、一応整合性は取れているね」

アークレインは深く息をついた。

「世間は大騒ぎです。悪魔崇拝者が起こした不気味な事件に、数多くの不幸に見舞われた侯爵令嬢に手を差し伸べたロージェル侯爵、特にオリヴィア嬢とクラウス様のロマンスが誇張されて騒がれていますね……親世代の確執を乗り越えた純愛だと」

「クラウスが権力を使って圧力をかけたらそうなるだろうね……」

（伯母上に話は通ってるんだろうか……）

アークレインの脳裏に浮かんだのはクラウスの母、シエラの顔である。

レインズワース侯爵家を蛇蝎《だかつ》のように嫌っているから、もし彼女の了承が取れていなかったら後が怖い。

（クラウスだからな）

あの従弟《いとこ》は他人の感情を察するのが苦手だ。何も言っていないかもしれない。

嫌な予感に頭が痛くなってきた。

「ごめんなさい、長々と話しすぎました。まだ体調が万全では無いのに……」

つい顔をしかめたら、エステルが謝ってきた。

「いや、教えて欲しいと強請《ねだ》ったのは私だ。知っておかないと気になって休めないしね……」

とはいえ、発熱している状態で一気に大量の情報が頭に入ってきたせいか頭がぼんやりする。

「ご無理なさらない方が良いです。眠って下さい」

エステルは椅子から立ち上がると、アークレインの体に布団や毛布をかけ直してくれた。

「ありがとう」

礼をいうと、エステルはふるふると首を振る。

目を閉じてアークレインは思考の海に沈む。その途中、ふと、オリヴィアの話をしている最中のエステルの表情が冷静だったのが気にかかった。

◆
◆
◆

クラウス・ロージェルはレインズワース侯爵邸に滞在し、爆発で滅茶苦茶になった庭や邸の片付けを指揮しながら、ロバートの正体に迫る何かを探していた。

一体いつここを出られるのか考えるとうんざりしてくる。止まっているアークレインの公務も心配だ。

ロバートの痕跡探しは捗々《はかばか》しくない。邸中を捜索したけれど、何も個人の特定に繋がるものは出てこなかったし、彼が消滅する前に所持していたと思われる古代遺物も、ひしゃげて原形を留めていなかった。

依存症の症状が出ているアデラインを初めとする人々は、お茶を求め暴れるので、拘束衣を着せて一カ所に集めている状態だ。こちらは今朝、アークレインから、療養施設を手配するようにとの指示があった。

命が危ないとまで言われていた状態から、たった二日で指示できる状態まで回復するあたり、王族のマナは規格外である。

現在クラウスは、侯爵邸の書斎にこもって帳簿を確認していた。数字を追うと、アデラインがロバートに貢いだ物品とその金額が見えてくる。

扉がノックされたのは、帳簿を元に算盤《アバカス》を弾いていた時である。

「失礼します」

入室の許可を出すと入ってきたのはオリヴィアだった。その表情にクラウスはわずかに目を見張る。

彼女の瞳には光が戻っていた。

「お母様に会わせていただけませんか」

「……どうしてそう思われたのかお伺いしても？」

「現実からいつまでも目を逸らしていてはいけないと思っただけです。使用人のためにも、ヘンリーのためにも」

たった一晩でどんな心境の変化があったのだろう。

しかし、事後処理のしやすさを考えると、彼女には早く立ち直ってもらった方がいい。

クラウスは自分の中で結論付けると、帳簿を閉じて立ち上がった。

「正直おすすめはしませんが、会うなら心の準備はしておいて下さい」

「覚悟はしています」

オリヴィアはきっぱりと言い切った。

◆　◆　◆

リアとの交代のタイミングでアークレインの部屋を追い出されたエステルは、仕方なく自分の部屋のベッドで眠った。

次に目覚めたのは翌日の夕方で、身支度を整えてからアークレインの部屋に向かうと、彼はベッドから身を起こし、何かの書類を読んでいた。

腕や頭の包帯は既に取れており、腕の傷口には瘡蓋《かさぶた》ができている。

「起きていて大丈夫なんですか!?」

「医師の許可は出てる」

エステルは思わず傍らに控えるリアを見た。するとリアはこくりと頷く。

「お医者様も驚かれていました」

確かにアークレインのマナは規格外だが、それにしてもあまりにも早い。エステルはまじまじとアークレインを見つめた。

「さすがにまだ絶対安静で、用を足す時以外はベッドからは出るなと言われたけどね」

「そんな状態なのにお仕事ですか……？」

「うん、溜まるからね。というか、既に溜まってた」

ちらりと見えた書類には、『サマーガーデンパーティー　招待状送付リスト』と書かれていた。

「これって、国王陛下が主催されるパーティーの書類では……？」

「父上が倒れた時に担当した公務をそのまま私が引き受けている状態なんだ……返したいんだけど受け取ってくれない」

そう告げるアークレインの顔は心底嫌そうだった。

「陛下はやっぱりまだお体が良くないんでしょうか」

サーシェスの体調は回復したと公表され、元気な姿を国民の前に見せてはいるが、権力者の健康不安は政情にも影響するから、往々にして伏せられるものである。

「そうかもしれないし、私への王位継承を強行するための布石かもしれない」

アークレインはため息をつくと、書類を膝の上に置き、エステルに向き直った。

「普通にお仕事されて大丈夫ですか？　辛くなったら休んで下さいね」

「エステルも皆と同じ事を言う」

「言いますよ。心配ですから」

「わかってる。適当なところで切り上げて横になるよ」

そう告げるアークレインの顔はどこか不服そうだった。

「包帯、ほとんど取れたんですね」

「そうだね、胴体のは残ってるけど。見る？」

「はい、見せて下さい」

即答すると、アークレインは意表を突かれた顔をしてから苦笑いした。

「もしかして、からかったおつもりでした？」

「うん」

「怪我の状態は気になりますから」

真顔で返すと「ごめん」と謝られた。

「やっぱり見るのはまだ駄目。傷痕だらけで気持ち悪いと思う」

「気持ち悪いなんて思いません、以前言いませんでしたっけ。私は竜伐を手伝っていましたから、酷い怪我は見慣れています」

じっとアークレインの顔を見つめながら訴えたら、彼は諦めたようにため息をついた。そしてナイトウェアの前をはだけて上半身を見せてくれる。

お腹は包帯に覆われており、そうではないむき出しの部分——鎖骨の辺りから下は、腕と同じように瘡蓋だらけになっている。

アークレインは胸の一番大きな傷痕と腹部の真ん中辺りを指さした。

「ここには傷痕が残るかも。一応悪あがきはしてみるけど」

「悪あがき？」

「うん、マナを意図的にここに集中させると治りが早くなって痕も残りにくくなる」

「もし痕が残ったとしてもアーク様は魅力的ですよ」

「それはどうも」

「いつも私に言って下さるじゃないですか。今、嘘じゃなかったんだなって実感しています」

自分の左の二の腕に触れながら告げると、アークレインは目を細めて笑った。

「珍しいね、君がベッドでの話をするなんて」

「そういうつもりで言ったのではありません！　もう……」

ふくれたエステルに向かってアークレインはクスクス笑いだした。

確かに二の腕の傷痕にアークレインが触れてくるのは夜が多いけれど、機会があればからかってくるのはいただけない。

「そうだ、レインズワース侯爵家の事なんだけど、一応君にも伝えておく」

アークレインが切り出してきたのは、ひとしきり笑った後だった。大事な報告が始まる予感にエステルは姿勢を正す。

「依存症状が出ている人達は、あんまり状態が良くないようなので、療養施設を手配するよう命じた」

「パラマ島の療養所ですか？」

「ああ。ライル・ウィンティアが入所しているのと同じ施設だ。ただ、アデライン夫人だけは首都の病院を紹介した。その方がオリヴィア嬢の負担が少ないかなと思って」

「侯爵も入院中ですものね」

エステルの相槌にアークレインは頷く。

「オリヴィア嬢やレインズワース伯爵の精神状態が心配です」

レインズワース伯爵、というのはオリヴィアの弟のヘンリーの事だ。彼はレインズワース侯爵家の相続人なので、慣例に則り、トールメイラーが持つ爵位の一つを儀礼称号として名乗っている。

この国では伯爵位以上の貴族は複数の爵位を持っている事が多く、エステルの兄、シリウスもフローゼス伯爵だけでなくフローゼス子爵、レイナム男爵という三つの爵位を持っている。

「オリヴィア嬢はね……今日になって、何の心境変化があったのか、立ち直りかけているみたいだよ。クラウスから報告があった」

エステルはアークレインの報告に大きく目を見開いた。そして気付く。

オリヴィアの名前がアークレインの口から出てきても、今は以前ほどの悲しみや嫉妬心は湧いてこない。

何があっても自分はアークレインを支える、きっとそう決めたからだ。

彼から与えられる愛情がフリでも構わない。エステルを尊重して、壊れ物のように大切に扱ってくれるのは揺るぎのない事実だ。

優しく穏やかな表の顔だけでなく、狡猾な部分も含めて好きになってしまったのだ。大怪我をした彼を見た時に、この人を失うのだけは耐えられないと思った。だから――。

「オリヴィア嬢を助けてあげて下さい。もし私にもできる事があれば協力します」

エステルの発言に、アークレインは目を見張った。

五章　破壊からの再生

ローザリア王国暦五三四年　三月七日　首都アルビオン中心街――。

とある会員制ティールームの最奥に設けられた個室にて、オリヴィア・レインズワースは、三日前に帰国したばかりの姉のユジェニーに同伴してもらい、アークレインとの面会に臨んでいた。

レインズワース侯爵邸の敷地内で王族であるアークレインが大怪我を負ったのだ。父も母も病院にいる今、ユジェニーとオリヴィアが侯爵家を代表して謝罪しなければいけない。

面会を申し出たところ、その場所としてアークレインが指定したのがここだった。

天秤宮でも侯爵邸でもないのは、婚約したばかりの彼が、かつて婚約の噂があったオリヴィアと会っているところを人に見られたら差し障りがあるからだろう。現在、オリヴィアは可哀想な侯爵令嬢として世間の注目を集めているからなおさらだ。

邸《やしき》で爆発が起こってから一週間が経過している。

オリヴィアの目の前にいるアークレインは元気そうだ。受傷直後は生死をさ迷ったと聞いているが、二日前には公務に復帰したというから、王族は特別なのだと思い知らされる。

しかし侯爵家にとっては良かった。彼が亡くなっていたら取り返しのつかない事態になるところだった。

天秤宮の職員やクラウス・ロージェルの手を借り、レインズワース侯爵家は現在立て直しの真っ最中である。

上流階級のスキャンダルは大衆紙《タブロイド》の大好物だ。事件は大々的に報じられ、世間は大変な騒ぎになり、邸で孤軍奮闘していた（という事になっている）オリヴィアは、好奇と同情の視線を一心に集めている。

姉のユジェニーが帰国したのはその最中だ。また、ヘンリーもカレッジを一時休学して邸に戻ってきた。二人とも庭の惨状を見て絶句していたが、事情を包み隠さず話し、隠蔽工作の共犯者になってもらった。今では二人ともオリヴィアの強い味方になってくれている。

また、アデラインが追い出した前の執事《バトラー》にも、事情を話して戻ってきてもらった。彼はそろそろ年齢的に引退を考える時期だったので、新執事への仕事の引き継ぎをメインに働いてもらっている。全てが終わった時には、十分な退職金を支払って勇退してもらう予定だ。

アデラインの様子は、正視しがたいものだった。

酷く老け込み、やつれた顔でロバートに盛られたお茶を求める様子は、飢えた吸血鬼のようで、チョーカーを付けられていた時の記憶が無ければ同一人物とは思えなかったかもしれない。

なお、アデラインがオリヴィアを操るために持ち出した『人形化《ドーリフィケーション》のチョーカー』は、現在手元にはない。

爆発の後片付けをしていたら見つかったという名目で、国の研究機関——王立魔導工学研究所に預けている。

使用に血統制限のかかった古代遺物《アーティファクト》で、更に寿命を代償に要求するという安易には使えない代物だが、効果が効果なので調査が終わった後は国の管理下に置かれる可能性が高いそうだ。

姉弟間で話し合った結果もそれが一番いいだろうという結論になったので、侯爵家側から寄贈を申し出て、現在受理されるのを待っているところである。


「殿下、この度は当家の事で多大なるご迷惑をお掛けして誠に申し訳ございませんでした」

「大変申し訳ございませんでした」

アークレインへの拝謁の挨拶を終えると、オリヴィアは姉に倣って深々と頭を下げた。すると、アークレインから謝罪は不要との言葉があった。

「どうか顔を上げて欲しい。むしろ今回の件は、私が不注意にも首を突っ込んだせいでそちらにも迷惑を掛けてしまった」

「いいえ、そんな事は……！　殿下があそこで介入して下さらなかったら、当家は一体どうなっていたか……」

発言したのはユジェニーだ。今日は基本的に彼女が受け答えをしてくれる事になっている。

姉の発言に対してアークレインは首を横に振った。

「もっと私が慎重に動いていたら、あの男が自爆して、庭や邸が損壊する事はなかったと考えている。申し訳ない事をしてしまった」

ロバートが消滅時に引き起こした爆発は、庭と温室だけでなく、爆発から距離が近かったタウンハウス西側の窓硝子も吹き飛ばした。

その修繕費は、侯爵家への見舞いという意味合いも兼ねて、アークレインが全面的に負担してくれるという話になっている。こちらは固辞したのだが押し切られた。

「結局、ロバート・テイラーは何者だったのでしょうか？」

「わからない。そちらの邸からは結局奴の正体に繋がるものは何も出てこなかった」

ユジェニーの質問に嘆息混じりに答えるアークレインを見る限り、すっきりしない結末になりそうだ。

「オリヴィア嬢はその後どうかな？　体調に異変は出ていない？」

アークレインから話を振られては仕方がない。オリヴィアは頷くと口を開いた。

「はい。特に問題は出ておりません。一時的に酷く喉が渇いた事もありましたが、今は落ち着いています」

「良かった。君にも依存症状が出たらどうしようかと思っていたんだ」

「お気遣いありがとうございます」

頭を下げついでにオリヴィアは視線をアークレインから逸らす。

彼がオリヴィアの出した奇妙な招待に応じてくれなかったら、今もまだレインズワース侯爵家はロバートの食い物にされていたかもしれない。

感謝の一方で、父が倒れた原因を彼のせいにしたくなる気持ちがどうしても湧いてくる。

父が倒れた時の口論の原因は、つきつめればアークレインが『オリヴィアを王子妃』に、という夢を侯爵家に抱かせたせいだ。

もし時間が戻せるのなら、エスコートして欲しいというオリヴィアの願いをきっぱりと断って欲しかった。

今日、ユジェニーが受け答えを引き受けてくれたのは、アークレインを目の前にすると、どうしても恨み言が湧いてくるからだ。

涙腺が緩みかけたので、オリヴィアは瞬きを繰り返して涙を散らした。

「申し訳ございません、殿下、妹はまだ精神的に不安定で……」

俯いたまま顔を上げられないオリヴィアを見兼ねてか、ユジェニーがフォローしてくれた。

「……あれだけの事があったんだ。無理もない。むしろ予想よりも早く自分を取り戻して気丈に色々と対応してくれたからこちらも助かった」

それは使用人の心遣いのおかげだ。オリヴィアは心の中でつぶやいた。

ラズベリーのソルベの次は、梨のコンポートと蜂蜜がたっぷりかけられた麦のミルク粥《ミルクポリッジ》。その次は具だくさんの鶏肉のクリームスープ。

少しでもオリヴィアが食べやすいようにと配慮した食事を作ってくれただけでなく、声もかけてくれた。

そして思い出したのだ。自分は主人として彼らの生活を守らなければならない。それだけではない。まだ未成年なのに当主となるヘンリーも支えなければいけない事を。

「もし今後も困った事があったら言って欲しい。表立っての支援はできないけれど、できる範囲で力になりたいとは思っている」

「そう仰っていただけますと心強いです」

支援なんて本当は受けたくない。だけど受けなければ立ち行かない現状が恨めしい。

(早く侯爵家を立て直さないと)

アークレインときっぱりと決別するために。

姉とアークレインの会話をどこか他人事のように聞きながら、オリヴィアは心の中で決意した。

◆　◆　◆

アークレインとの面会を終え、オリヴィアはユジェニーと一緒に馬車で邸に帰りついた。すると、骨組みだけになった温室が視界に入ってくる。

そのせいで、母の薔薇《レディ・アデライン》は全滅してしまった。

領地に戻れば親株があるから栽培は可能ではあるものの、邸や家族の関係が崩壊した象徴のような気がして何度目になるかわからない涙が込み上げてきた。

オリヴィアは目を伏せ、手巾《ハンカチ》で目元を押さえる。

その時である。ユジェニーが声を発した。

「ヘンリーだわ。随分焦ってるみたいだけど、どうしたのかしら」

オリヴィアは再び馬車の窓へと視線を向ける。すると、全力疾走でこちらにやってくるヘンリーの姿が見えた。

「お姉様！　お父様が！　お父様が目を覚まされたそうです！」

大声での知らせにオリヴィアとユジェニーは顔を見合わせる。

ようやくこちらに到着したヘンリーによって、馬車の扉が乱暴に開けられた。

「言葉が上手く出ないし、右半身も上手く動かせないようですが……意思疎通は筆談でできるって！」

ハアハアと息を切らせながら、ヘンリーは興奮気味の大声で姉二人に報告した。

「オリヴィア、病院の面会時間は何時までだったかしら……？」

「夜の七時です、お姉様」

オリヴィアはユジェニーの質問に答えた。

「すぐに行きましょう！　ヘンリーも乗って！」

「はい！」

ユジェニーが提案すると、ヘンリーは元気に返事し、馬車に乗り込んできた。

間章　竜の棲む山

ローザリア王国暦五三四年　一月下旬——。

大ローザリア島北部には、竜骨山脈と呼ばれる険しい山岳地帯がある。

レジェ、フローゼス、ウィンティアの三つの伯爵領にまたがる山脈がそう呼ばれるようになったのは、飛竜の棲《す》み処《か》となっているからだ。

飛竜の骨が埋まる場所、船の竜骨のように山岳地帯に住む民の生活の基礎を支える場所——二つの意味が竜骨山脈という名前には込められていると言われている。

この山岳地帯は、大ローザリア島でも有数の豪雪地帯で、毎年十二月から翌年の三月あたりまで白い雪で閉ざされる。しかし今年は例年に比べると気温が高く、雪が少ない事から、飛竜の目覚めが早いのではないかと噂されていた。

ウィンティア伯爵領に仕える銃士のオードは、スノーシューを取り付けた長靴で雪を踏みしめると、額から流れる汗を拭って一息ついた。

（ここらで膝下ってとこか……）

雪の量を自分の体で測って眉をひそめる。

この辺りは例年だと一メートル以上は降り積もる地点である。飛竜の目覚めが早い、という噂が現実になりそうなのを肌で感じ、気持ちが重くなった。


飛竜はいわば超大型の爬虫類《はちゅう》だ。大抵の爬虫類が冬には土の下で眠りに就くように、飛竜も気温が下がると巣穴の奥で冬眠する。

竜骨山脈の全土で晩冬から初春にかけて大々的に行われる竜伐は、その習性を利用して行われていた。

要は冬眠中の竜の巣穴を探し、寝込みを襲って狩るのである。竜穴猟《りゅうけつりょう》と呼ばれるこの狩り方は、飛竜を比較的安全に間引く方法として知られていた。


飛竜は雑食性で何でも食べる。飢えると畑を荒らすし家畜も人も襲うから、竜骨山脈に生きる者にとっては最大の脅威となっていた。

連中への唯一の対抗手段は竜伐銃だ。竜伐銃というのは、高威力・高出力に調整された特殊なライフル型の魔導銃を指す言葉である。

そのためこの地域では、先天的に高いマナを持って生まれた人間は必然的に銃士になる決まりで、オードはそのうちの一人だった。

竜伐は危険だが実入りも大きい。飛竜の骸《むくろ》はそれ自体が金塊に例えられるほど高値で取引されるためだ。強靭《きょうじん》な皮や骨は兵器や魔導具の材料に、肉は高級食材に、内臓は薬の材料になる。

(畜生、あいつら、タダじゃおかない)

オードは心の中で悪態をついた。

脳裏に浮かぶのは娘のカエナの姿である。彼がこっそりと山に入ったのは、この大切な娘が悪党に攫《さら》われたからだった。

(……絶対にお父さんが助けてやるからな)

銃士と言っても、竜伐や飛竜の目撃情報が出て、領主から召集がかかった時以外は、普通の村人となんら変わらない生活を送っている。オードの場合、普段は猟師として生計を立てていた。

カエナが姿を消したのは二日前だ。猟から帰ってきたら、娘の姿は家の中に無く、妻が見た事の無い形の通信魔導具を持って震えていた。

聞けば、同じ村に住む友達の家に遊びに行ったままなかなか帰って来ないので、迎えに行こうと家を出ようとしたら、玄関口に『娘は預かった』という手紙と一緒に通信魔導具と魔導銃が置かれていたそうだ。

誘拐犯の要求は一つだった。

——飛竜を使った魔導具の実験への協力。

具体的には魔導具の部品を、特殊な銃を使って冬眠中の飛竜の眉間に撃ち込めと命じられた。

眉間は飛竜の弱点であり、バイタルゾーンと呼ばれる生命の維持に関わる部分である。

心臓も飛竜のバイタルゾーンだが、こちらはピンポイントで狙うのは難しい。飛竜との位置関係が悪いとかなりシビアな狙撃になる。

手負いになった飛竜は、重傷を負うと狂化《バーサク》と呼ばれる状態になり理性を失う。また、飛竜の飛行速度は魔導機関車を超えると言われているので、襲われた場合、人間などひとたまりもない。

そして、飛竜の骸から採取できる素材を余すところなく活用するには眉間を狙うのがベストだった。

竜伐銃の使い手は、竜の身体構造を学んだ上で眉間を撃ち抜けるよう訓練する。だから、オードには冬眠中の竜を見つけられさえすれば、銃弾を確実に撃ち込む自信はあった。

問題は、誘拐犯に渡された銃の口径が、自身の使う竜伐銃より小さく今一つ信用できないという事だ。竜の外皮は硬い。竜伐に専用の銃が使われるのには理由がある。

（こんなもののためによくもカエナを――）

オードは手の中にある、魔導具の部品を仕込んだ銃を睨みつけた。

自分が連中の標的になったのは、竜の巣穴を探り当てる嗅覚が誰よりも優れていたからに違いない。オードが竜探しの名人なのは、領内では有名な話だ。

通信魔導具ごしに聞こえたカエナの泣き叫ぶ声がずっと耳に残っている。

オードは唇を噛むと、再び雪を踏みしめ、竜の痕跡を求めて歩き始めた。

六章　招かれざる来訪者

乗馬服を身に着けたエステルが天秤宮の玄関ホールに向かうと、同じく乗馬服姿のアークレインが待機していた。

「お待たせしました。アーク様」

「そんなに待ってないよ」

アークレインはエステルの姿にふわりと微笑む。

レインズワース侯爵家での事件は収束しつつあり、先方に貸し出していたハオランやメイも帰ってきた。天秤宮はようやくいつもの日常を取り戻したが、王室の年間行事は容赦なくやって来る。今日は狩猟大会が五日後に迫っているので、乗馬の練習をする予定だった。

この狩猟大会だが、女性は狩りには出ないので、現地に着いた後は男女別行動となる。そのため、過保護なアークレインによってエステルは理由を付けて欠席する予定にされてしまった。

乗馬の練習が必要なのはアークレインだけなので、エステルが同伴するのはただの気分転換である。

エステルは今も、アークレインが同伴できる時以外は基本的に外出できない。引きこもり気質があるので、外に出られなくても特に不満はないのだが、愛馬のルナリスにしばらく会えていないのが気になっていたので、エステルは喜んで提案に飛びついた。

とはいえ、アークレインは大怪我をした直後なので少し心配である。

「アーク様が丈夫なのは承知してますが、絶対無理はなさらないで下さいね」

眉をひそめて声を掛けると、穏やかな笑みが返ってきた。

「傷はしっかりふさがってる。エステルは知ってるよね？　見たんだから」

「！　そうですね……」

一瞬の動揺をアークレインは見逃してくれない。くすくすと笑われた。

王族の回復力は異様だ。確かに既に傷は完全にふさがっている。しかし、その体には、本人や医師が予想した通り、胸と下腹部には傷痕が残ってしまった。

「体を動かしておかない方が危ない。それにアズールの様子も心配だし……」

愛馬の名前を口にしたアークレインは眉間に皺を寄せた。

穏やかなルナリスと違って、アズールはかなり癖のある馬らしい。

好き嫌いが激しく、決まった厩務員《きゅうむいん》しか受け付けないとか、嫌いな人間が近寄ると殺しにかかってくるので危険だとか、色々な逸話があるそうだ。

幸いエステルはこれまでアズールに近づいて危険な目に遭った事がないので、どうやら気に入られているらしい。

「厩務員が毎日遊んであげないと暴れるし、忙しくて私が会いに行けなくても拗ねるんだ。たぶん今日はご機嫌斜めだろうね」

「会いに行けなかったのは仕方ないじゃないですか。寝込んでたんですから……」

「あいつにそういう理屈は通じないからなあ……」

アークレインは困り顔でつぶやいた。

外出時は、アークレインの異能で守られるのが決まりだ。彼のマナに包まれるのも最近は慣れてきた。

その状態でエステルはアークレインにエスコートされ、厩舎へと向かう。

しかし馬房が近づいてくると、アークレインは立ち止まって顔をしかめた。

「やっぱり怒ってるか……」

アークレインの視線の先を追いかけると、アズールらしき漆黒の馬が、馬房の中で苛立たしげに地面を掻いているのが見えた。

「エステルはちょっと離れておいた方がいい」

「そこまでですか?」

「うん、ここで待ってて」

アークレインはエステルにそう告げると、アズールに近づいていく。するとアークレインに気付いたのか厩務員がこちらに小走りでやって来る。

「殿下！　良かった！　そろそろ我々で宥めるのも大変だったんです！」

(そんなに?)

エステルは目を丸くする。すると厩務員はエステルにも声を掛けてきた。

「エステル様は少しこちらでお待ちを。それと、せっかくお越しいただいたんですが、実はルナリスの体調が悪くて」

「ええっ、大丈夫なの？」

「朝一番で連絡は差し上げたのですが、行き違いになったんでしょうか……。申し訳ございません。筋肉が軽い炎症を起こしているようなので今日は休ませたいです」

ルナリスが心配でエステルは顔を曇らせた。

激しい馬の嘶《いなな》きが聞こえ、強いマナの波動を感知したのはその時である。視線をそちらに向けると、暴れるアズールとそれを念動力の壁で防ぐアークレインの姿が視界に入ってきた。

「やっぱりこうなったかぁ……」

がくりと厩務員が肩を落とす。

「激しいですね」

「アズールは殿下が大好きなので……放置されてかなり怒ってますね……」

しばらく眺めていると人馬の攻防に決着がついた。アークレインがアズールを宥めるのに成功したようである。

「そろそろ大丈夫そうなので行きましょうか」

厩務員が声を掛けてきたので、エステルは彼と連れ立ってアークレインに近づく。

「殿下、連絡が行き違ったようで申し訳ありません、実は……」

厩務員はアークレインに今日はルナリスに騎乗できない旨を伝えた。

「心配だね。とりあえずルナリスのお見舞いに行こうか」

「はい」

「それからアズールに一緒に乗ろう。折角ここまで来たからね」

「えっと……私が乗って大丈夫でしょうか？」

「アズールが好き嫌いするのは生物学上の雄に対してだけなんだ。女性には優しい紳士な馬だから大丈夫。な？」

ポン、とアークレインがアズールを撫《な》でると、アズールは小さく鼻を鳴らした。

「そうですよ、エステル様。こいつは女好きだし雌にモテるんです。アズールの種付けを嫌がる牝馬は……」

「そこまで。女性に振る話題じゃない」

アークレインに睨まれ、厩務員はハッと口を閉ざした。

◆　◆　◆

ルナリスは馬房の中で案外元気そうだった。厩務員によると、背中の筋肉が張っており、指で圧迫すると痛がるそうである。

「歩行に支障が出ている訳ではないので軽症だとは思うんですが……少し様子を見させて下さい」

「わかったわ、ありがとう。ルナリス、早く元気になってね」

持参した角砂糖をやると、ルナリスは嬉しそうに嘶いた。


ルナリスのお見舞いが終わると、馬場に移動して楽しみにしていた乗馬の時間である。

狩猟大会は欠席するので横乗りの練習はする必要が無くなった。そのためエステルが今日身に着けているのはトラウザーズタイプの乗馬服だ。

馬場では二人乗り用の鞍を装着したアズールが待機していた。厩務員に手綱を引かれて大人しく待っている。

「さっきの暴れ方が嘘みたいですね」

「鞍を付けてもらったからだと思う。これから走れるのがわかってるんだよ」

エステルの発言に、アークレインはにこやかに返事をした。

「エステル、先に乗って。前に乗ってもらった方が何かあった時に対処しやすい」

それは後ろに乗る以上にアークレインと密着するという事なのだが……。

何度も体を重ねているから今更か、と思い直し、エステルはアズールに恐る恐る近づいた。

アズールは牡馬、それも軍馬なのでルナリスよりもずっと大きい。

（うまく乗れるかな……）

そんなエステルの不安を察知したのか、アズールは小さく嘶くと、すっと頭を下げた。

「わあ……ありがとう、アズール！」

女性には優しいというのは本当だったようだ。エステルはアズールの青鹿毛の毛並みを一撫でずると、鞍に手をかけて飛び乗った。

エステルがしっかりと鞍の上にまたがり、鐙《あぶみ》に足をかけるのを確認してからアークレインが後ろに乗ってくる。

女性としては平均的なエステルに対し、アークレインは長身だ。馬に二人乗りすると、エステルの体はすっぽりと包み込まれてしまう。

彼とはもっとすごい事をしているはずなのに、この体勢は初めてだからドキドキした。

◆

◆

◆

手綱を取るのは練習をしなければいけないアークレインだ。

彼は厩務員から手綱を受け取ると、足でアズールに合図を送り発進させた。

（うう……）

二人乗りは思ったよりもずっと密着感があって、背中に感じる温もりと、いつもの彼の香りに心臓の鼓動が治まらない。

「もしかしてアズールが怖い？　大丈夫だよ。こいつは私には忠実なんだ」

「えっと……いつもよりも視線の位置が高いので……」

（ごめんねアズール、あなたのせいじゃないんだけど……）

エステルは適当な理由で誤魔化した。

後ろから抱かれているような体勢にドキドキしているなんて知られたくない。

アークレインは普段不必要に体に触れてくる人ではないから、緊張しているのはきっとそのせいだ。

「こうしてると、エステルは小さいんだなって実感するな。女性というのはこんなに細くて小柄なんだね」

「そうでしょうか？」

「うん。ついでに柔らかいし甘い匂いがする」

「ちょ……嗅がないで下さい！」

何となく嫌で身動《みじろ》ぎしたら、アズールが抗議するように頭を振った。

「暴れちゃダメだよ」

「アーク様が変な事言うからです！」

「ごめんごめん」

アークレインはクスクス笑うと、歩行速度を上げた。

常歩《なみあし》から速歩《はやあし》へ、アズールは大きいから爽快感がある。

「もう少し速度を上げてもいい？」

尋ねられたのは、馬場を一周した時だった。

「はい」

頷くと、ぐん、とアズールが駆け出す。

「わあ！　軍馬だけあって速いですね！」

「怖くない？」

「はい！」

むしろ楽しい。

「もっと速くしても大丈夫そうだね」

「アズールの本気を見てみたいかも……」

クスリと背後でアークレインが笑う気配がした。かと思うと、更に速度が上がる。

「凄い！　上下動がほとんどありません！」

「騎乗射撃用にそういう訓練を受けさせてるからね」

馬に乗ったまま銃を撃とうと思ったら上下動は邪魔になる。そのため軍馬には特殊な歩法を習得させるらしい。

軍馬には、他にも血の匂いや銃撃音に動じないとか、必要とあらば人を踏みつぶせるなどの適性が要求される。

「射撃の練習も後でなさるんですか？」

この馬場には射撃の練習用の的が設置されている。騎馬状態での射撃は、狩猟大会に参加する上で必須の技術である。

「いや、今日は射撃の練習はしない予定。それよりはアズールの走りをしっかり確認しておきたい」

「私がいて邪魔ではありませんか？　二人分の体重が乗ると、きっとアズールも勝手が違いますよね？」

「あんまり気にしてないいんじゃないかな。エステルは体重移動が上手いから」

「そうですか？　ありがとうございます」

「横乗りが得意じゃないだけで、普通に乗ったらかなりの腕だと聞いてるよ。後で交代しようか」

アークレインの提案にエステルは目を丸くした。

「いいんですか？　でもアズールは私の言う事を聞いてくれるでしょうか……？」

「紳士だからたぶん大丈夫」

ついさっき拗ねて荒ぶる姿を見ているので、その言葉に思わず笑みが零れた。


前進、後退、旋回、ジャンプ――アークレインは巧みにアズールを操り、色々な動きをさせた。

そして馬場を何周かして一通りの動きを確認すると、いったんアズールを止めてからエステルに手綱を預けてくれる。

アズールはちゃんとエステルの指示通り動いてくれるだろうか。軽く脚でお腹を圧迫すると、アズールはちらりとこちらを振り返ってから歩き始めた。

「この子、今、誰が指示を出したのか確認しましたよね？」

「うん、でもほら、従ってくれてる」

アークレインは楽しげにクスクスと笑う。

何やら釈然としないものを感じながらも、エステルは速度を上げるよう脚を使ってアズールに指示を出した。

◆◆◆

アズールはルナリスと遜色ないくらい、エステルの指示に従って動いてくれた。

こんなに従順なのは、後ろにアークレインが乗っているせいだろうか。

だけど楽しい乗馬の時間は唐突に終わりを迎える。エステルの目が、異様に大きなマナを捉えたせいだ。

エステルが身を硬くするとアークレインも何か感づいたようだ。

「誰かいるね」

天秤宮の護衛官や厩務員以外に、三つの人影と一頭の馬が馬場の入り口に立っているのが見えた。

エステルが硬直したのは、そのうちの一人のマナが異様に大きかったからだ。

体の中におさまらず、陽炎《かげろう》のようにゆらめく銀色の光――あれだけのマナを放つのは直系の王族しかいない。

「リーディス殿下……だと思います」

そう思ったのは遠目にも小柄な体格からだ。

アークレインが警戒するのが密着した背中越しに伝わってきた。

アズールがこちらを気にする素振りを見せる。きっとこちらの緊張を感じ取ったのだろう。


馬場の入り口に近づくと、人影はよりはっきりと見えるようになった。

やはりリーディスだった。護衛官と侍従らしき人物を連れて待ち構えている。

こちらの護衛官や厩務員は一歩下がって跪《ひざまず》いていた。

「仲がいいですね、兄上に未来の義姉上」

入り口に戻るとリーディスが話しかけてきた。どこかこちらを小馬鹿にしたような挑発的な笑みを浮かべている。

まだ成長期のリーディスは、身長こそエステルよりわずかに高いが、長身のアークレインや屈強な護衛官達に比べると細く小さい。しかし態度はこの場にいる誰よりも大きかった。

「何をしに来た」

アークレインは今までに見た事がないくらいに冷たい顔をしていた。絶対零度の青い瞳がリーディスを威嚇するように射抜く。

「何って騎乗射撃の練習ですよ。僕も狩猟大会には出ますから」

「そのためにわざわざカレッジから出てきたのか」

「カレッジよりもこちらの設備の方がいいので。向こうは使用許可を取るのも手続きが煩雑で面倒です。兄上もご存じですよね？」

相変わらずの生意気な態度である。顔立ちは母親が違うとはいえ兄弟だけあってよく似ているのに、受ける印象は随分と違う。アークレインが理想的な王子様ならリーディスは尊大な子供だ。

「僕がここを使える時間は限られているので、できれば兄上には譲っていただけるとありがたいのですが」

「好きに使うといい。私はいつでもここを使えるからね」

目を細めて微笑むと、アークレインはひらりとアズールから飛び降りた。そしてエステルに手を差し伸べてくれる。エステルはその手を借りて、アズールから降りた。

本当は自力で降りられるのだが、ここで紳士の手を借りるのが淑女というものだ。

「へえ……噂には聞いていたけど本当に仲がいいんですね。エステル嬢のどこがそんなに兄上を惹き付けたんですか？　乗馬の腕は相当なもののようですが」

「どこがって、全てだよ。お前にも早く心から愛せる人が現れるといいね」

揶揄《やゆ》するようなリーディスに、アークレインは冷笑交じりに応える。

なんとなく予想はしていたけれど、この異母兄弟は他人以上に他人行儀だ。お互いにマナを陰らせての応酬を見ているとお腹が痛くなってきた。

「それにしてもエステル嬢の腕前は素晴らしいですね。北の女性は竜伐銃を扱うとは聞いた事がありますが、乗馬の腕前も大したものだ。きっと幼い頃から野山を駆け回っていらっしゃったんでしょうね」

暗に田舎者と馬鹿にされているのだろうか。別にリーディスに何を言われたところで気にもならないが。

「エステルは身体能力が高いからね。乗馬や射撃だけじゃなくてダンスも上手い。お前もこういう女性を選んだ方がいい。舞踏会の度に足を踏まれるのは嫌だろう？」

「参考にさせていただきます。僕なら北部の女性は選びませんけどね」

リーディスは軽く肩を竦めると、エステルに視線を向けてきた。

「そうそう、エステル嬢にお聞きしたい事があったんですよ」

「……何でしょうか」

警戒しながら返事をすると、リーディスはにっこりと微笑みながらエステルに質問を投げかけた。

「以前女官を助けるために僕を撃ちましたよね？　あの位置を狙ったのはわざとですか？」

「何がお聞きになりたいのでしょうか」

「怯えながら撃ったにしてはいい場所を狙ったなと思いまして。後から考えると上手く念動力を断ち切ってくれたなあ、と。だからずっと気になっていたんです」

「何を仰っているのか……」

「あんな方法で異能が妨害できるなんて初めて知りましたよ。兄上に教わったんですか？」

リーディスはエステルに接近しようと一歩足を踏み出した。すると、すかさずアークレインが間に割って入り、エステルを後ろに隠す。

「何を確認したいのか知らないがそこまでにしてもらおうか。可愛い婚約者を困らせないで欲しい」

「……人というのは変われば変わるものですね。兄上がそんな風になるなんて。もっとエステル嬢の事が知りたくなりました」

「悪いが私はエステルの事になると心が狭くなるんだ。お前が彼女を知る必要はない」

アークレインはリーディスに言い放つとエステルに向き直った。

「エステル、天秤宮に帰ろう。招かれざる客のせいで水を差されてしまった。ごめんね」

「いいえ」

エステルは差し出されたアークレインの手を取った。

予定より早く切り上げることになったのは残念だが、これ以上この異母兄弟の間に挟まれるのは遠慮したい。

アークレインは目で厩務員を呼び、アズールの手綱を預けた。そしてエステルをエスコートしながらリーディスの前を素通りして歩きだす。

「義姉上、カレッジが休みの時に宝瓶宮にお招きしますので是非いらして下さい。嫉妬深い男とずっといるのも疲れるでしょうから」

リーディスが声を掛けてきた。宝瓶宮は、リーディスが父王より第二王子宮として賜った宮である。

「無視していい」

アークレインは冷たくばっさりと切り捨てる。

基本的に社交に未成年は参加できないのだが、狩猟大会だけは例外で、軍事訓練という側面があるため、十五歳以上の貴族男子は出席していい事になっている。十五歳は従軍が可能な年齢だ。

狩猟大会でまたこの二人が顔を合わせると思うと嫌な予感がした。


「……不快な思いをさせてしまってすまない」

馬場からアズールを預けるために厩舎に戻る道すがら、アークレインに謝られ、エステルは首を横に振った。

「謝らないで下さい。私は気にしていません」

リーディスが現れるなんて誰も予想していなかったのだから仕方がない。

「私よりアズールに謝った方がいいのではありませんか？」

アークレインが引くアズールに目を向けると、漆黒の軍馬は軽く鼻を鳴らした。

「『気にしてない』って言ってるみたいですね」

「賢い動物だから、多分わかってくれてるんじゃないかな」

アズールを見つめるアークレインの目は優しかった。

◆
◆
◆

アズールを厩舎に戻し、もう一度ルナリスの様子を見てから天秤宮に戻る。すると職員達の様子が何だかおかしい。

「殿下がお戻りになったわ！」

「ツァオ侍従長を呼ばないと」

そんな囁きが聞こえてきて、アークレインや護衛に緊張が走った。

「確認してまいります」

乗馬に付き添っていたニールが、こちらに声を掛けてから、近くにいた職員――下働きの下女に事情を聞きに行く。

「実は猫が侵入しまして……」

どうやら掃除のために窓を開けていたら、そこから猫が入り込んだらしい。

「申し訳ございません！　すばしっこくて全然捕まらなくって……」

「それで大の大人が揃いも揃って右往左往してるのか……」

警戒を解き、アークレインは呆れたようにつぶやく。

「大事ではなくて良かったですよ」

相槌を打ったニールの顔は緩んでいた。

「さて、悪い猫の顔を拝みに行くか……」

アークレインが視線を向けたのは、騒ぎが聞こえてくる方向である。一行は連れ立ってそちらに向かう。

「どんな模様の猫ちゃんでしょうか」

「白猫でした、目は青で……」

エステルの疑問に答えたのは、ニールに捕まり、行きがかり上同行する事になった下女だ。アークレインと言葉を交わすのが恐れ多いのか、真っ青になっている。

「ニール、お前がこっそり餌付けしてた奴なんじゃ……」

アークレインがちらりとニールを見た。ニールは身を竦ませる。

「ご存じだったんですか……」

「そんな事してたの？」

思わずニールを見上げると、彼は気まずそうに視線をさ迷わせた。

「昨年の年末あたりに庭に迷い込んできたのを見つけまして……あまりに痩せ細ってたのが可哀想で、つい……」

「猫ならいいかと思って目こぼししてたんだ。お前が料理人とつるんで猫に構っていたことも、ちょっと気持ち悪い幼児言葉で猫に話しかけてたのも知ってる」

「うわー！　やめて下さい！」

淡々とアークレインに秘密をバラされて、ニールは叫んだ。

「猫は可愛いですから誰だってそうなりますよ」

「そうです！　猫は可愛いですから」

エステルが取りなすと、ニールはこくこくと頷いた。

「私にも教えてくれたら良かったのに」

「一応内緒だったので……」

恨めしげにニールの顔を見上げると、情けない表情での弁解が返ってきた。

その時である。廊下の向こう側から、バスケットを持ったハオランが下女を伴ってやって来るのが見えた。

彼の方もこちらに気付いた素振りを見せる。

互いに近づくと、バスケットの中には白い物体が入っており、更に接近すると、それが丸くなった猫だとわかった。

「殿下、お戻りになったんですね！　このような格好で失礼致します。実は恐ろしい侵入者が中に入り込んで大暴れいたしまして」

「聞いた。もしかしてそいつが不法侵入者かな？」

「はい。先ほどようやく大人しくなりました」

猫は、バスケットの中に鎮座してくつろいでいる。事前情報通り青い瞳の猫だった。水色に近い色合いが硝子玉みたいで綺麗だ。

アークレインが覗き込むと、猫はちろりと目線を上げた後、くあぁ、と大あくびした。マイペースな態度が実に猫らしい。

「ニール、お前が餌付けしてた猫に似てる気がする」

「たぶんこいつで間違いないですね……」

ニールは罪悪感を覚えているのか肩を落としている。

「随分騒いでたみたいだけどよく捕まえたね。ハオランが捕まえたの？」

「いえ、私が捕まえた訳ではなく、ひとしきり暴れた後、気が付いたらここに入り込んで寝ておりました。こうして持ち上げても動じません」

ハオランは呆れた表情をバスケットの中の猫に向けた。

「あ、あのっ！」

ハオランと一緒にいた下女が青ざめた表情で声を掛けてきた。酷く顔色が悪いだけでなく、震えている。

「も、申し訳ございません、展示室の掃除中に、こ、この猫が……私が不注意だったのですが……、この猫が走り回って……か、花瓶が、わ、割れて……」

報告しながら、下女はさめざめと泣き出した。

「私からもお詫び申し上げます、殿下。央《ヤン》製の花瓶が一点破損致しました」

「どの花瓶？」

「白磁に青で一面に葡萄と蔓草《つるくさ》が染め付けられたものです」

「ああ、あれか……」

アークレインは眉を寄せた。そして少し考えてから、下女に声を掛ける。

「破損の責任を負わせるつもりはないから泣かなくていい。それよりも怪我はない？」

「は、はい！　大丈夫です」

「良かった。どういう状況か見たいから、展示室に案内してもらえないかな」

王子様に微笑まれて、下女は目を見開くとぽうっと頬を染める。

「こ、こちらです」

「お待ち下さい、殿下。この凶悪犯はいかが致しましょうか？」

ハオランがアークレインに尋ねた。

「釈放でいいよ」

「かしこまりました。外に逃がしてきます。また戻ってきそうな気もしますが……」

ハオランは冷たい視線をニールに向けた。この侍従長にもニールの秘密は筒抜けだったらしい。

「何度も庭に入り込むようなら、正式に飼い猫として迎えてあげてはいかがでしょうか？」

エステルは提案する。

「……そうだね」

アークレインはどこか渋い表情でつぶやくと、猫入りのバスケットを抱えて去っていくハオランを見送った。

（あまり動物がお好きではないのかしら）

だとしたらアズールを可愛がっていた姿はなんだったのだろう。馬が例外なのだろうか。

エステルは首を傾げた。

◆
◆
◆

展示室は、アークレインが所蔵する美術品を博物館のように飾っている部屋だ。

下女の先導でその部屋に入ると、確かに床には割れた花瓶が転がっていた。

「これはまた見事に割れてるね……」

アークレインは跪くと、破片を拾おうと手を伸ばす。

「殿下、お怪我をされるかもしれません。片付けは我々にお任せ下さい」

慌てて制止したのはニールだ。

「細かい破片も含めて捨てないように。確か央《ヤン》には修復の技術があったはずだ」

「修復できるんですか？」

エステルの疑問にアークレインは微笑んだ。

「わからないけど、駄目元で試してみようかなって」

「本当に申し訳ございません……」

下女はこちらが痛々しくなるくらいに小さくなっている。

「そこまで思い入れのある花瓶じゃないから気にしなくていい。確か何かの義理で購入したものだった気がする」

首をひねる姿からすると、本当に重要な物ではないようだ。

この部屋の中身は、アークレインが購入したり両親から受け継いだりした物、そして貴族や外国の大使などからの献上品で構成されているらしい。

エステルはふと、硝子のケースの中に飾られたカメオのブローチに目を留めた。

白薔薇にアルファベットの『M』の文字が彫り込まれたそれは、一目で熟練の職人の手で作られたとわかる美しさだ。

(前にはなかったような……?)

以前——天秤宮に住み処を移し、アークレインに宮の中を案内された時——は見た覚えがない。

「アーク様、このカメオなんですが、以前はありませんでしたよね」

「ああ……それはエステルの部屋を作るために母上の遺品を整理していたら出てきたものなんだ」

なるほど、それで以前はなかったらしい。

「母上がよく身に着けていたものなんだけど、イニシャルが入っているから使い辛いかなと思って。それでここに飾っておいたんだ。でも、エステルが気に入ったのなら持っていってもいいよ」

「えっと……気に入ったとかではなくて、気になる事が……」

エステルはいったん言葉を切ってからアークレインに近づくと、耳元で囁いた。

「マナが視えます。魔導具かもしれません」

彼にだけ聞こえるように囁いたのは、エステルの能力を明かしていない下女がいるからだ。

アークレインは目を見張った。

◆
◆
◆

(父上め……)

今日もアークレインはサーシェスから押し付けられた事務仕事に忙殺されていた。

今行っているのは、国王が主催するサマーガーデンパーティーとは別の催し物の招待客のピックアップである。

ポーレット伯爵家は先日代替わりしたし、スタンリー子爵家は当主が闘病中のはずだ。

(何で名簿が前回から更新されてないんだ)

これを準備した国王秘書官は無能揃いに違いない。

心の中で悪態をつきながら、アークレインは羽ペンをインクに浸し、名簿にメモ書きを付け加えていく。

執務机にすっと影が差したのはそんな最中だった。

「殿下、少しよろしいでしょうか」

顔を上げると書類とビロード張りの小箱を手にしたクラウスが机の前に立っていた。

「いいけど手短に頼む」

「先日エステル様が見つけられたブローチの調査結果が出ました」

「へえ、早いね」

天秤宮の展示室に猫が侵入して暴れたのは一昨日だ。その時、エステルが、展示室の中に飾っていたマナを発するカメオのブローチに気付いた。

母が持っていたものだから妙な物ではないはずだが、魔導具なのか、魔導具だったとしたらどんな効果がある物なのかを調べるため、アークレインは王立魔導工学研究所にブローチを預けていた。

「調べるまでもなかったようです。あのブローチは国王陛下の依頼で、ミリアリア陛下のために研究所が作成した物だったので」

クラウスは、手に持っていた書類と小箱をアークレインに差し出した。

書類は研究所からの報告書で、箱はブローチを保管していたものだ。

「台座部分に細工がされていて、そこが魔導具になっているそうです。強い衝撃を受けた時に、自動的にマナの障壁が発生し持ち主の身を守る――護身用の魔導具だそうです。ただし使えるのは一回だけで、役目を果たすと破損して使えなくなるようですが……」

「お守りみたいなものって事か」

「はい。どうにか継続的に使える物を作ろうと試みてはいるようですが、実用できるレベルまで強度を上げるとその分、耐久性に問題が出るらしく、なかなか難しいようです」

「だから母上はこれをよく身に着けていたのか……」

アークレインは小箱を開けると、白薔薇が刻まれたカメオをどこか苦い気持ちで見つめた。

心の中に蘇るのは在りし日の両親が寄り添う姿だ。

しかし今のサーシェスは、ミリアリアの事など忘れてしまったかのようにトルテリーゼを大切にしている。

「先日のような事が起こらないよう、殿下がお持ちになっておいた方がいいのではないでしょうか」

クラウスの言う『先日』とは、レインズワース侯爵邸でアークレインが大怪我をした事を指しているのだろう。

「あんな事件はそうそう起こらないと思うから、持たせるならエステルかな」

母のイニシャルが入った遺品が役目を果たして壊れたら気にするかもしれないから、カメオは取り外して台座には別の何かをあしらった方がいいだろう。

アークレインは小さく息をつくと席を立った。

「どちらへ？」

「集中が途切れてしまったから、息抜きついでにエステルに報告してくる」

「かしこまりました」

淡々と答えると、クラウスは自分の席に戻っていった。

◆◆◆

いつもの執務室の続き間に移動すると、エステルはリアと一緒に窓にかじりついていた。

「アーク様、見て下さい！　またあの子が来ているんです！」

明るい表情でエステルが指を差した先には、見覚えのある白猫の姿があった。

猫は庭の日当たりがいい場所に陣取って、丸くなって眠っている。

今日のエステルの護衛はニールだ。ちらりと視線を送ると、餌付けしたのが後ろめたいのか目を逸らされた。

アークレインは時計を確認し、三十分程度なら休憩してもいいかと計算する。

「庭に出てみようか」

提案すると、エステルはぱあっと顔を輝かせた。


嘆かわしい事にニールは猫のおやつを隠し持っていた。乾燥させて水分を限界まで飛ばした鶏肉で、厨房の料理人《コック》が作ったものらしい。

それを手にして庭に出ると、匂いを嗅ぎつけたのか猫が目覚めた。

のそりと起き上がり、大きく伸びをしてからスタスタとこちらにやって来る。野良の割に丸々として毛艶も悪くないのは、きっとニールや料理人の仕業に違いない。

「可愛い……！　仕草の全部が可愛いですね……！」

「……そうだね」

猫を見て和んでいるのはエステルだけではない。ニールもリアも猫の姿に相好を崩している。

「アーク様は猫がお嫌いですか……？」

仄《ほの》かな憂いをマナから読み取ったのか、恐る恐る尋ねられた。

「いや、可愛いと思う」

「でも……」

エステルはどこか納得していない表情だ。

アークレインは嘘ではないと示すために、その場にしゃがみ込むと足元にやって来た猫を撫でた。猫はエステルの持つおやつを見上げ、尻尾を揺らめかせるとアークレインに頭を擦り付けてくる。猫特有のなめらかな毛皮の感触が気持ちいい。

エステルがしゃがみ込むと、猫はするりとアークレインから離れ、エステルの膝に前脚をかけて「にゃん！」と鳴いた。

「おやつを強請《ねだ》ってるみたいですね」

クスクス笑いながらエステルは、乾燥鶏肉を小さく引き裂いたものを手の平に載せて差し出す。すると猫はエステルの手の平から器用に鶏肉を舐めとった。よっぽど美味しいらしく、食べ尽くすと、匂いが残っているのかエステルの手の平をペロペロと舐める。

「わあ！　猫だから舌がざらざらしてます！」

エステルは歓声を上げながら、空いている手で猫の頭を優しく撫でた。

「ここまでこいつが皆の心に入り込んでいるのなら、しっかり保護したほうがいいかもしれないね。小さな動物は標的になる可能性があるから」

苦い感情を隠すために笑みを作りながら告げると、エステルは眉をひそめた。きっとアークレインの憂鬱な感情を読み取ってしまったに違いない。

かつて、この天秤宮でアークレインは犬を飼っていた事がある。まだ宮を賜ったばかりの頃だから七歳か八歳の頃だ。猟犬にするには不適格と判断されたのが縁で引き取ったハウンド犬だった。

可愛がっていたのに、当時の自分には守ってやる事ができなかった。

不用意に庭に離していたら――。

アークレインは視線を庭のガゼボへと向けた。

その近くには、一本のイチイの若木が植わっている。

イチイは寿命が長く年中青々とした葉を付ける事から、魂の不滅性と再生を象徴する植物だ。

古くから天秤宮に仕える者は、それが墓標だと知っている。

（次は間違えない）

アークレインは心の中でつぶやくと、猫を構うエステルに視線を戻した。

七章　狩猟大会

王室が主催する狩猟大会は、三月の中旬に開催される。その舞台は首都近郊にある王家が管理する森だ。

軍事訓練という側面があるため、参加者は全員馬での移動となり、いったん宮殿前の広場に集まって隊列を組む。

その中で、馬車での参加になったエステルの事がアークレインは心配だった。

狩猟大会では、男性が先行し、森の外のベースキャンプと呼ばれる場所に天幕を張ってから狩りのために森に入る。女性は狩りには同行せず、天幕内で待機する。男女別行動になる時間が長いので、本当は欠席させる予定だった。しかしその理由として足を捻挫した事にしたのが悪かった。

エステルは、戦没者追悼式典と、アークレインが大怪我をした時に仮病を使っている。

短期間に三度目は病弱な印象を与えてしまいそうだったので、怪我を理由にしたのだが、そのせいで王妃から圧力がかかったのだ。

『未来の王子妃が捻挫くらいで不参加なんて許されない。馬に乗るのが無理なら馬車で行けば良い』

——そう言われては断りきれなかった。

どうしてこんなに胸騒ぎを覚えるのかわからない。最近のエステルからどこか以前との違いを感じるからだろうか。

アズールに騎乗したアークレインは馬車に乗り込んだエステルの横顔をちらりと見た。

どこが、とは明確には言語化できない。しかし以前と比べると、何だか壁があるような気がする。

もしかしたら、ロバートを捕まえる時の失態に呆れられて気持ちが離れたのだろうか。

（…………）

エステルの気持ちが離れようが離れまいが関係ない。彼女は異能もひっくるめて既に自分のものだ。

婚約発表も済み、フローゼス伯爵領にはいくつか支援もしている。今更個人の些細な感情で引き返せない所まできている。

アークレインはそう結論付けると小さく息をつき、コンコンと馬車の窓を叩いた。すると窓が開いてエステルが顔を覗かせる。

「そろそろ行くけどくれぐれも気を付けて。絶対に一人で行動しないように」

アークレインは声を掛けながらエステルの胸元を確認した。

彼女が今日着用している野外活動用のドレスの胸元には、アークレインが渡したミリアリアの遺品のブローチが着けられている。

カメオの部分は取り外し、役目を終えた時に破損しても良いように、見た目は綺麗だが金銭的価値は低い白蝶貝《マザーオブパール》をはめこんで加工し直した『お守り』だ。

これが狩猟大会の直前に見つかったのは幸運だった。

「殿下は心配性ですね。私も付いていますから滅多な事は起こりませんよ」

声を掛けてきたのは馬車に同乗するシエラだった。馬車にはメイベルも乗っている。

エステルに付けた側近の中では、自衛の手段に乏しいリアだけが留守番だ。

「いつまでもこんな所にいたら陛下に叱られませんか？」

エステルの指摘通り、確かにそろそろ隊列に戻らないとまずい時間だ。

アークレインは小さく息をつくと、馬車の周囲を警護する天秤宮の王室護衛官《ロイヤルガード》達に視線を送ってから、アズールの馬首を返し、所定の場所へと向かう事にした。

◆
◆
◆

「殿下とは相変わらず仲が良いのね」

「そうですね。ちょっと暑苦しいくらい良くして下さいます」

シエラからどこか生温い視線を向けられ、エステルは苦笑いした。

「同行していただく事になって申し訳ありません。乗馬がお好きだと聞いていたのに」

「いいのよ。最近日焼けが気になる歳になってきたから」

ふふ、とシエラは氷の精霊のような美貌に穏やかな笑みを浮かべた。

「天秤宮では猫を飼い始めたんですって？　近々紹介していただけると嬉しいわ」

「はい、是非。招待状をお送りしますね」

結局天秤宮に入り込んだ白猫は正式に飼い猫として迎えられた。

飼うのなら屋内で大切に飼ってやった方がいいというアークレインの意向で、執務室の隣に猫の部屋が作られた。更に部屋の外側では、猫専用の柵付きの庭を造る工事も始まっている。

その様子に自分との共通点を見いだし、エステルは思わず笑みを漏らした。

猫はメスだった。性別と毛並みから、皆で相談して『スノウ』と名付けた。ずっと外で気ままに暮らしていた猫なのに、脱走したがる素振りを見せず、猫専用部屋がずっと自分の家だったかのような顔で生活しているのでちょっとふてぶてしい。

ちなみに猫の世話係は、展示室にスノウの侵入を許した下女が罰として任命された。猫好きらしい下女は『罰ではなくてご褒美です！』と恐縮していたが、日中は普通に下女として働きながら時々抜けてスノウの世話をしなければいけないし、夜も猫の部屋で眠らないといけないのでなかなか大変な役目だと思う。

「殿下のマント、エステル嬢が刺繍されたのよね？　とっても素敵だったわ」

狩猟大会は軍事訓練でもあるから男性は全員陸軍の軍服姿だ。

アークレインもクラウスも、端正な美貌の持ち主だから眩いばかりに麗しかった。

今日の狩猟大会にはリーディスもロイヤル・カレッジを休んで参加している。顔立ちではアークレインにも負けてはいないのだが、残念ながらまだ若すぎて、主に未婚のお嬢様たちの視線を集めていたのは、おとぎ話の王子様を体現するアークレインと氷の騎士のようなクラウスだった。

森に入る予定の男性たちは、今は隊列のはるか前の方にいるはずだ。

「お褒めいただきありがとうございます。クラウス様もマントがとてもお似合いでした。準備はシエラ様がなさったんですよね？」

お礼を言うついでに尋ねると、シエラのマナがすっと陰った。

「ええ……今までは浮いた噂が一つもなく、縁談を持っていっても好ましい反応をしないから、私はいつ孫を抱けるのかとやきもきしていたの。でもそんな考えは間違ってたわ……変な女に興味を持つくらいなら、独り身でいてくれた方が良かったのよ……」

にこにこしているが彼女のマナは笑っていない。美女のそんな姿は普通に怖くて、エステルは顔を引き攣らせた。

「噂になっているからもうご存じかもね。あの子ったら、オリヴィア・レインズワースに興味があるようなのよ……」

シエラの手にした扇子がみしりと音を立てた。

アークレインが療養している間、彼の代理として天秤宮の職員と一緒にレインズワース侯爵家の後始末に立ち会ったのはクラウスだ。

レインズワース侯爵邸内で爆発が起こったため、首を突っ込んで来ようとする首都警察や記者を抑えるため、クラウスは自身の持つロージェル侯爵としての権力を使って圧力をかけた。

その理由としてクラウスは、『アークレインに袖にされたオリヴィアをずっと気にかけていたからだ』と宣言した。

世間はレインズワース侯爵家の中で起こった衝撃的な事件だけでなく、新たなロマンスにも沸いている。宣言してしまった以上、すぐに発言を撤回する訳にもいかず——天秤宮の職員が戻ってきた後も、オリヴィアの様子を気にかけて、時々邸《やしき》に通っているようだ。

クラウスが今後どう収拾を付けるつもりなのかはわからないが、この件についてシエラに話を通してはいなかったようで、今も裏の事情を明かしていない状態になっているそうだ。

だからシエラは、クラウスがオリヴィアに本気なのだと思って静かに怒っている。

「……親世代の確執を乗り越え、悲劇の侯爵令嬢に手を差し伸べたロージェル侯爵……ですって……ふふふ、あちらが今大変な状況なのは周知の事実だから、下手に口を出したら私が悪者になるじゃない……」

まずい。シエラの地雷を踏み抜いてしまったようだ。エステルの背筋を冷たい汗が流れた。

ちなみにまだ立て直し中のレインズワース侯爵家は、恐らくしばらくの間社交界には出てこない。今日も当然ながら欠席している。

「オリヴィア嬢自身が嫌いな訳ではないのよ？　でもあの子、アデラインに似過ぎてるのよね……もしクラウスと結ばれちゃったらどうしようかしら……」

シエラは微笑みながら憤っている。

反対すれば狭量と思われる。それは矜恃が許さないが、さりとてアデライン似のオリヴィアと息子の関わりも許せない。そんな相反する葛藤が伝わってきて、エステルはかける言葉が見つからなかった。

「こんなお話を聞かせてごめんなさいね。恥ずかしいわ」

シエラはクラウスとオリヴィアに対する不満をエステルに向かって吐き散らすと謝ってきた。どうやら愚痴を聞いてもらいたかっただけのようだ。


そこからはメイも交えてそれなりに楽しい馬車移動となった。

好天に恵まれたおかげで気候も気持ちいい。

首都はフローゼス伯爵領より春の訪れが早いから、道には色鮮やかに花が咲き乱れ、新芽が芽吹き始めていた。

雪国である故郷では、春は一気に押し寄せてくる。雪解けと同時に一気に季節の花が開花するフローゼスの春は圧巻なのだが、段階的に花が咲いていく南部の春もエステルにとって新鮮だった。

ルナリスと思う存分駆けられたらどんなに楽しいだろう。エステルは愛馬の姿を思い浮かべる。

先日は不調で乗れなかったが、幸い一時的な物だったので、彼女は今頃天秤宮の厩舎で元気に過ごしているはずだ。


狩った獲物に点数を付けて競い合う男性と違って、女性にとっての狩猟大会はピクニックのようなものである。ベースキャンプの天幕で優雅にお茶や軽食を楽しみながら男性の帰りを待つのだ。

景色を楽しみながらのんびりとしたペースで森に着くと、先に到着していた紳士や使用人達によって森の入り口には天幕が張られていた。ざっと見て三十から四十の天幕が張られている様子は壮観だった。

エステルはシエラや側近達と一緒にアークレインの天幕へと向かう。

王族の天幕は、森に一番近い場所に張られ、周囲よりもひときわ立派で目立っていた。

今日は一日シエラが一緒にいて、天幕にやって来る訪問者を捌《さば》く手伝いをしてくれる事になっている。

「エステル、もう一回言っておくけど、基本的にはここから出てはいけないよ」

過保護なアークレインは、再び念押ししてから狩りへと向かった。

「いいわね。今が一番楽しい時期よね」

シエラの視線にエステルは曖昧な笑みを浮かべた。

大切にされてはいるのは間違いないが、シエラが想像しているような甘さは自分達の間にはない。

そこにあるのは互いの利害関係が絡んだ偽りの溺愛だ。それでも、自分はアークレインを支えると決めたのだが、少しだけ寂しさを覚えてしまう。

「とりあえず先に嫌な事は済ましてしまいましょうか。国王陛下の天幕に参りましょう」

シエラの提案にエステルは現実に引き戻された。

天幕の群れの中には国王夫妻のものがあり、そこにだけはこちらから挨拶に出向かなければいけない。王妃に会いに行く事を『嫌な事』と言い切るシエラは正直だ。

「エステル嬢は捻挫している事になってるんだから、足を引き摺《ず》って歩かないとダメよ」

そんな会話を交わしていると、急に外が騒がしくなった。

そして天幕の中に、外にいたはずのニールが飛び込んでくる。

「エステル様、シエラ様、こ、国王陛下が王妃陛下と一緒にいらっしゃいました！」

その知らせに、エステルは大きく目を見開いてシエラと顔を見合わせた。

◆　◆　◆

「馬に乗れないほどの怪我だと聞いたのでね、こちらが出向いた方が良いのではないかと思ったんだ」

「本来はあなた達が陛下の天幕に来るのが筋ですけれどね」

国王夫妻は急遽メイや護衛官が慌てて準備した席に着くと、口々に声を掛けてきた。

「お越しいただきありがとうございます。国王陛下、王妃陛下」

エステルは青ざめながら返答する。

不意打ちのような夫妻の訪問のせいで、エステルだけでなく、こちら側の側近は皆顔色を悪くしている。そんな中、シエラだけがマナも含めていつも通りだ。

「わざわざご足労いただきありがとうございます。国王陛下も体調を崩されているとお聞きしたのですけれど……」

シエラが尋ねると、サーシェスはうんざりとした表情で肩を竦めた。

「崩していた、が正解かな。もう大丈夫なんだが、周りがうるさくて森に入れてくれない」

今回、サーシェスは狩りには不参加だ。一週間前に風邪をひき、まだ完治していないためと発表されているが、一度倒れてから密かに囁かれている健康不安説が再燃しそうである。

目の前のサーシェスの顔色は普通に見えるが、頬や唇の血色は化粧で誤魔化す事も可能だと考えると本当のところはわからない。

「こうしてシエラ夫人とお会いするのは随分と久しぶりね」

手にした扇で顔の下半分を隠しながらトルテリーゼがシエラに言葉を掛けた。

「そうですね、息子の補佐など何かと忙しくてすっかりご無沙汰しております」

「まあ、あまりにも顔を合わせないものだから、てっきり避けられているのかと思いました」

「そのように感じられたのなら謝罪いたしますが、私は昔も今も変わらず王妃陛下を敬愛しております」

「あら、本当だったらとても嬉しいわ」

微笑み合いながら、シエラとトルテリーゼは寒々しい応酬を繰り広げる。

二人ともマナを陰らせており、互いに嫌い合っているのが一目でわかる。両方とも美女なだけに、そのやり取りには迫力があった。

「エステル嬢の顔を見るのは戦没者追悼式典の時以来ね」

王妃がこちらに水を向けてきた。エステルは内心で冷や汗をかく。

「はい。あの時は王族席にお招きいただきありがとうございました」

「そうね、本当はまだ入れないのにね。あの子にも困ったものだわ。おまけに体調不良で帰ってしまうし。陛下が倒れたのはあなたから風邪が移ったのかもしれないわよね」

「……そうだったとしたら申し訳ないです」

王妃からかけられる言葉は厳しい。しかし、マナの陰りがそれほどでもないのが妙に気になった。陰ってはいるのだが、かけられる言葉ほど昏くないような気がするのだ。

今日の王妃は何か変だ。観劇の時と同じようなちぐはぐさを感じる。

「やめなさい、トルテリーゼ。発熱したのは式典から一週間以上経ってからだ。エステル嬢から移されたとは思っていない」

割って入ったのはサーシェスだった。

サーシェスは顔を合わせる度にエステルへの負の感情が和らいでいく。諦めたのか認めてくれたのか、どちらにしてもエステルにとっては喜ばしい。

「別に責めてなどおりませんわ。ただ、その後も風邪で倒れたと聞いているので、病弱なのかと心配になっただけです」

王妃は鼻白んだ様子で手にした扇をパチリと閉じた。

高圧的かつ敵対的な王妃にサーシェスはため息をつくと、再び取り持つように間に入った。

「シエラ夫人、エステル嬢、そろそろお暇しようと思う。トルテリーゼ、エステル嬢に構いたい気持ちはわかるが、そろそろ天幕に戻らないと」

サーシェスの言葉に王妃はつまらなさそうな顔をすると席を立った。

「わざわざお越しいただきありがとうございました」

エステルは慌てて見送りのために立ち上がろうとした。するとサーシェスに制される。

「良い。足を痛めているのだろう？」

エステルに向かって微笑みかけると、サーシェスはトルテリーゼや自身の護衛――国王親衛隊《ソブリンズガード》と呼ばれる直属の近衛兵を引き連れてこちらの天幕を出ていった。

◆　◆　◆

リーディスは苛立っていた。というのも、侍従長のルシウスの段取りが悪いせいでなかなか森の奥へと出発できないでいたからだ。

狩猟大会は軍事訓練であると同時に、狩った獲物の種類や重さを基準に点数が付けられ、その優劣を争う勝負という側面もある。

この森には様々な種類の野生動物が生息しているが、最も点数の高い獲物は熊で、次点は鹿である。

誰よりもいい成績を修めるために、リーディスはさっさと森の奥に向かいたかった。

物心ついた時から、リーディスは常に異母兄よりも優秀でなければいけなかった。

学業だけでなく身体能力も芸術面も、全ての分野において過去の異母兄と比べられてきた。

幸いほとんどの分野でリーディスの才能は異母兄を凌駕《りょうが》していた。唯一勝てないのは楽器の演奏技術くらいだ。

だから周囲は誰もがリーディスが次の王になるべきだと言った。リーディスもそう思う。国益を考えればより優秀な者が玉座に座るべきだ。なのに父は、継承順位変更の嘆願書を外祖父のマールヴィック公爵が提出しても認めてくれない。

誰よりも優秀で高いマナと特別な異能を持ち、後ろ盾も異母兄より強いのに、継承法に長子優先相続と記載されているせいだ。法を曲げるならそれなりの理由が必要だというのがサーシェスの返答だった。

リーディスは異母兄よりも優れていると常に示し続けなくてはいけない。だからいつまでも森の入り口で足止めを受けて、いい加減我慢も限界だった。

わざわざロイヤル・カレッジを休んでまでこの狩猟大会に参加したのは、マールヴィック公爵の強い要望によるものだ。

祖父はアークレインよりもリーディスが優れているという実績を、成人するまでの三年間により多く確保したいのだろう。

「おい、準備はいつ整うんだ。この間にも兄上は獲物を仕留めているに違いないんだぞ」

いくらリーディスが優秀でも、探索にあてる時間が確保できなければ異母兄には勝てないかもしれない。

「申し訳ございません、リーディス殿下。責任は全て私が負います。もう少しお待ち下さい」

苛立つリーディスを前に、ルシウスは萎縮した表情で頭を下げた。

もしアークレインに後れを取ればルシウスはきっと祖父に処罰される。リーディスの側にいる王室府の職員は、全員がマールヴィック公爵家に縁のある人間だ。

祖父のそういうところは正直好きになれない。リーディスがいくら気に入った職員でも、祖父の一声で容赦なく配置換えになるのは不愉快だった。

しかし残念ながら今のリーディスには、自身の宮である宝瓶宮の人事権がない。今それを握っているのは生母であるトルテリーゼ王妃だ。

母は祖父の操り人形だ。この国では女性の立場は弱いので仕方ないかもしれないが、母は祖父に逆らえない。

祖父はリーディスには優しいので嫌いではないが、成長するに従って嫌な部分が目につくようになった。何でも自分の思い通りにしようとする支配的なところと、民族主義的な思想は正直どうかと思う時がある。

成人すれば祖父の束縛から逃れ、自分の自由になる事が増える。宝瓶宮内の管理権限もその一つだ。リーディスは早く大人になりたかった。

狩猟大会における狩りは、猟犬と猟犬係《ハンツマン》が連携して獲物を射手である主人の方へと追い立てるのが一般的だ。

一体いつになったら準備が整うのか、苛々しながら待っていると侍従の一人がルシウスに駆け寄って何事か耳打ちした。

「リーディス殿下」

ルシウスが傍にやって来た。

「やっと準備ができたのか？」

「ええ。間もなく殿下にとっての最高の獲物が参ります。こちらをお使い下さい」

ルシウスが手渡してきたのは、ずっしりと重いサーベルだった。

「……剣で何を狩れって言うんだ」

「飛竜を」

「は？」

リーディスはルシウスの発言に呆気《あっけ》にとられた。

このローザリア王国内における飛竜の生息地は北部の竜骨山脈と西のアヴァロン島の二カ所である。

飛竜は基本的に生息地からあまり遠くには移動しない。

ごく稀《まれ》に、はぐれ飛竜と呼ばれる個体が生息地から遠く離れた地に飛来して大きな被害をもたらす事はあるものの、二十年に一度あるかないかの珍事である。

それなのに、なぜルシウスははぐれ竜が現れると断言するのだろう。眉をひそめたリーディスに、ルシウスは微笑みかけてきた。

「閣下が連れてきて下さるのですよ。間もなくこの森に」

ルシウスが閣下と呼ぶのは、リーディスの祖父、ミルセア・マールヴィックしかいない。

「お祖父《じい》様が？　一体どうやって……」

「動物を思いのままに操る古代遺物《アーティファクト》が手に入ったそうです」

「それで竜を操るっていうのか？　一体どこでそんな古代遺物を……」

「二年前、大ローザリア島の北部を襲った長雨ですよ。あの雨の時、公爵閣下の所領でも大規模な崖崩れが発生しました」

リムリックだ。すぐにピンと来た。マールヴィック公爵家が北に所有する領地というとそこしかない。飛び地として北部に所有しているその所領は、鏡面湖と呼ばれる美しい湖がある有名な観光地である。

「崖が崩れた所から未踏査の遺跡が見つかったそうです」

「その古代遺物はそこから発見されたのか」

ルシウスは頷いた。

「本当に飛竜が操れるとしても無茶苦茶だ。こんな所に竜が飛んできたら、森の外で待っているご婦人方がどれほど恐ろしい思いをされるか……」

しかも今日はリーディスの両親である国王夫妻も森の外にいる。

「この二年間実験を繰り返した結果、使っても問題ないとの結論が出たのです。閣下は殿下に『竜殺しの英雄《ドラゴンスレイヤー》』になる事を望まれています」

制御された状況下でリーディスに竜を討たせ、英雄に仕立てあげたい――それがミルセア・マールヴィックの考えなのだとルシウスは熱く語った。

「そのサーベルは一見すると一般的な物に見えますが、竜骨鋼で作られた特注のマナブレードです。殿下のマナを込めれば飛竜の外皮も切り裂けるでしょう」

竜骨鋼は飛竜の骨を混ぜて作られた特殊な合金である。

硬度としなやかさを備えた最強の金属で、主に竜伐銃や軍の装備に活用されているが、希少なだけに非常に高価だ。

「竜の弱点は心臓と眉間、それはご存じですよね？」

「……わかっている。しかしいくら古代遺物《アーティファクト》で制御されているとはいえ、剣一本で飛竜に立ち向かうなんて……」

「申し訳ございません。竜伐銃をあらかじめ用意しておいては、自作自演を疑われる可能性がございます」

ルシウスの言葉にリーディスは苦い表情を浮かべた。

飛竜は基本的に竜伐銃で狩るものだ。王族のマナを込めた剣なら硬い竜の外皮も切り裂けるとは思うが、剣で竜に対峙《たいじ》するなんてまるで童話の騎士である。そんな存在は創作の中にしか出てこない。銃が発明される前の時代ですら、竜伐には弓矢を用いていたはずだ。

しかも相手は陸上生物最強の爬虫類である。いくら古代遺物の力を借りるとはいえそんなにうまく思惑通り運ぶだろうか。

重いだけでなく、威力が高すぎる竜伐銃は日常的に持ち歩くものではない。一般的な動物に向けて撃ったら可食部分もろとも吹き飛ばすほどの火力がある銃なので、所持には国の許可がいるし取り扱いも慎重に行わなければならない。王家主催の狩猟大会に持ってくる者などまずいない。下手をすると反逆を疑われてしまう。

もし計画通りにリーディスが飛竜を倒せなければ、狩猟大会の参加者に大きな被害が出る。

リーディスの中には王族としての誇りがある。臣民に被害が及ぶかもしれないやり方は気に入らない。

祖父に対する疑問がまた一つリーディスの中に増えた。

◆◆◆

外が騒がしくなったのは、シエラと一緒に天幕の中でゆっくりしていた時だった。

エステルはシエラやメイと顔を見合わせる。そこにネヴィルが慌ただしく顔を出した。

「エステル様、シエラ様、お逃げ下さい！」

「一体何が……」

「飛竜です！　はぐれ飛竜が上空に！」

その言葉に、エステルは慌てて天幕を飛び出した。

確かにいる。上空に飛翔する竜が見えた。そして竜が内包する大きなマナも。

大型の動物ほど大きなマナを持つが飛竜は中でも別格だ。その外皮が強靭なのも、もしかしたらマナが影響しているのかもしれない。

しかし、何故こんな所に現れたのだろう。

飛竜は基本的に生息地から離れない。はぐれ竜が出るなんてかなり珍しい。

飛竜の体色は黒だった。竜は生息地によって色が異なる。黒竜なら、はるばる竜骨山脈から飛来した飛竜という事になる。

竜骨山脈の飛竜はアヴァロン島の飛竜よりも小柄だが機動力が高い。天空よりじっくりと獲物を物色し、ここぞと狙いを付けたら一気に急降下する。鳥の鷹《たか》に似た狩り方をする生き物である。

周囲では、たくさんの女性達が右往左往している。

その場で怯えて震える者、我先にと馬に乗りその場を離れようとする者――その行動は千差万別だ。

「エステル様、こちらへ。恐れ入りますが私の後ろにお乗り下さい」

ニールが自身の馬を引いてこちらにやって来た。

しかしエステルはニールの提案に首を振る。

「いいえ、あの状態の飛竜の前では下手に動かない方がいいわ」

「いや、そんな事、仰っている場合では……」

「集団からはぐれたら標的になる！　余計危険なのよ！」

きつく言い返した時だった。

上空を旋回していた飛竜が一気に急下降してきた。そして、誰よりも早く馬を駆ってその場を離れようとしていた女性に向かって一直線に向かっていく。

エステルは思わず顔を背けた。

が、次の刹那、バチバチという音とともに周囲にどよめきが走る。

「リーディス殿下だわ！」

「戻ってきて下さったのね！」

その騒《ざわ》めきにそちらを見ると、赤みがかった金髪《ストロベリーブロンド》の少年が飛竜と女性の間に立ちふさがり、マナを放出しているのが見えた。

異能だ。念動力の壁で飛竜の降下を間一髪の所で防いだのだ。

誰よりも早く森の奥から戻ってきたのは、空間転移の異能を使ったのだろうか。

「皆体勢を低くし、ゆっくりと天幕内に退避せよ！　下手に逃げるよりその方が生存率が高まる！」

威厳ある声が響いた。サーシェス王の声だ。

「陛下！　なりません！　せめて護衛をお連れ下さい！」

「足手まといはいらん！　王妃は皆と手分けし皆を天幕内に退避させよ！」

制止する王妃を無視し、サーシェスはサーベルを抜刀すると飛竜の方に向かって駆けていった。

サーシェスのサーベルは刀身にマナが通っているところを見るとマナブレードだ。王侯貴族、そして軍人の装備は大抵がマナブレードである。

トルテリーゼ王妃は悔しげに唇を噛むと、厳しい声で命を下した。

「陛下の指示に従い、皆天幕内に避難しなさい！」

「エステル様も！」

ニールに腕を引かれ、人々が慌てふためく中エステルは天幕内に押し込まれた。

さすが国王と言うべきか、サーシェスの指示は的を射ていた。

竜骨山脈に住む人々は、飛竜の姿を見たら真っ先に屋内に避難する。人里に降りてきた飛竜は腹が満たされるか討伐されない限り山には帰らない。だから頑丈な地下室に引きこもり、家畜を犠牲に飛竜が立ち去るのをじっと待つのだ。

うまくリーディスとサーシェスの二人で倒せたらいいが、もし倒せなかったらかなりの死者が出る可能性がある。春先の飛竜は特に凶暴だ。外に残された馬で満足してくれればいいが、全ては竜の腹具合による。

「エステル嬢！」

天幕内に入ると、シエラがぎゅっと抱きついてきた。

「大丈夫。きっと大丈夫よ。陛下とリーディス殿下は『覚醒者』だもの。きっと何とかして下さるわ」

不安感はシエラの方が強いのではないだろうか。エステルは、小刻みに震える彼女の体に手を回した。

（いくら陛下たちが『覚醒者』でも、竜伐銃なしで飛竜を倒せるの……？）

魔導銃は使用者のマナを凝縮し弾丸として撃ち出す銃だ。その中でも竜伐銃は極めて出力が高い。

そのため、竜伐銃は並の銃士なら二発撃てればいい方と言われている。世襲貴族の出身であるシリウスやエステルでも一日に五発撃つのが限界だ。撃った後は体内のマナが枯渇寸前になる。

王族のマナを込めたマナブレードなら硬い飛竜の外皮も貫けるかもしれない。しかし、銃と比べるとリーチが短すぎる。

(しかもあの飛竜、少しマナの流れがおかしかった)

ちらりと見ただけだから断言はできないが、眉間にマナが集中していた気がする。

——生き物のマナが集中するのは、普通は心臓だけのはずなのに。

酷く嫌な予感がした。

「ニール、お前はこのままエステル様を傍でお守りしろ」

ネヴィルの発言が聞こえてきて、エステルは思考の海からはっと現実に引き戻された。

「何言ってんですかネヴィルさん！　まさか外に出るつもりですか？」

食って掛かるニールに対してネヴィルは静かに告げる。

「国王陛下やリーディス殿下が体を張っていらっしゃるのに、王室護衛官《ロイヤルガード》が何もしない訳にはいかない」

最悪の場合、人間の盾として竜の前に立ちふさがるつもりなのだろう。その発言から痛いほどの決意が伝わってきた。

アークレインがエステルの警護のために付けてくれた護衛官は他にもいるのだが、天幕の中に避難してくる気配がない。ネヴィルと同じような覚悟で外にいるのだろうか。

「ネヴィル、そのまま行っても陛下たちの足手まといになるだけよ。陛下も足手まといはいらないと仰ってたわ」

エステルは、抱きついてくるシエラの体から身を離してネヴィルを見上げた。

「しかし、最悪奴らの餌になる事はできます。はぐれ飛竜は確か食欲が満たされれば去っていくはずです」

「……そうね」

しかしこの時期、冬眠から目覚めたばかりの飛竜はかなり凶暴だ。腹を空かせているというだけでなく、春から初夏にかけての繁殖期に備え、食いだめをする習性がある。ここに至るまでの道中も『餌』を食い荒らして来たに違いない。

エステルは深呼吸をすると、真剣な表情でネヴィルを見返した。そして尋ねる。

「……腕を犠牲にする覚悟はある？」

「どういう意味ですか？」

ネヴィルはエステルの質問に眉をひそめた。

エステルは、腰のホルスターに吊り下げていた愛用の魔導銃を手に取ってネヴィルに告げる。

「覚悟があるならこの銃を持っていって。カリスト社製の銃には一度だけ竜伐銃並みの出力を出す機能が備わっているの」

カリスト社はフローゼス伯爵領に本拠地を置く銃器メーカーだ。カリスト社製の魔導銃の一部のモデルには、竜骨山脈に生きる者の身を守るための工夫が施されている。

「まさか……制御装置《リミッター》が外せるという事ですか？」

ネヴィルの質問にエステルは頷いた。

制御装置は魔導銃の部品で、弾丸の威力を調整するために取り付けられているものだ。

銃は用途によって求められる威力が変わるし、あまりに高出力の弾丸を撃ち出すと、一般的な魔導銃の場合、銃身が持たず壊れてしまう。その問題を解決するための部品である。

高威力の弾丸を射出する竜伐銃は、銃身の強度を確保するため竜骨鋼で造られているが、竜骨鋼はコスト面から簡単に使用できる素材ではない。

「制御装置を外せば一発だけは超高出力の攻撃ができる。でも、撃ったら確実に銃は壊れるでしょうね。その時の壊れ方によっては……」

「手に大怪我をするって事ですか」

エステルの言葉をネヴィルが継いだ。

制御装置の解除は、竜伐銃が手元にない状態で飛竜と出くわした場合に備えた最終手段だ。自爆に近い覚悟を持って使うものである。

「エステル様、銃をお借りしてもいいでしょうか。腕と引き換えに皆を守れるのなら安いものです」

「……わかった。でもこの銃の射程はそんなに長くないの」

エステルの魔導銃は護身用の小型のハンドガンだ。有効射程は二十メートルといったところだろう。

「丸腰で行くよりずっといいです」

ネヴィルはきっぱりと言い切った。

エステルは頷くと、制御装置の解除作業に取り掛かる。

髪を纏《まと》めるピンを一本外し、ピン先を魔導銃の引き金近くの部品にねじ込んだ。この部品が制御装置だ。

この銃の制御装置は所定の手順を踏めば取り外しができる。この銃の場合は先の尖《とが》ったもので部品のある部分を押し込みながら下に引けば外れるようになっていた。

ガキン、という音とともに制御装置が外れた。——その時だった。

外から凄まじい咆哮《ほうこう》が聞こえてきた。

かと思ったら、一拍遅れて天幕に何かが勢いよくぶつかってきた。そして天幕を支えていた梁《はり》が大きくたわむ。

「エステル様！」

一番近くにいたネヴィルがエステルを突き飛ばした。

天幕の布を巻き込みながら梁がこちらに向かって倒れ込んでくる。それがやけにゆっくりと見えた。

シエラの声だろうか。けたたましい女性の悲鳴が聞こえる。

ミシミシという音、怒号、そして砂埃がエステルの視界をふさぎ——。

◆　◆　◆

リーディスは森の外に飛来した飛竜を前に、舌打ちしながら心の中で悪態をついた。

（やっぱり古代遺物《アーティファクト》で飛竜が制御できるなんて嘘じゃないか）

逃げ出した女性を狙っているのが見えたので、咄嗟に空間転移の異能で割って入ったら、飛竜は標的をリーディスに変えた。

飛竜に制御されている様子はなかった。

空に向かって咆哮すると、飛竜はリーディスに突進してくる。

念動力で盾を作り、身を守りながらどうにかサーベルの一撃を眉間に叩き込んだものの、異様に硬くて弾かれた。竜骨鋼のサーベルには、ちゃんとマナを込めたのに。

マナの込め方が足りないのかと思い、次の一撃にはかなりのマナを乗せてみたが、結果は同じでやはり弾かれてしまう。

おかしいと気付いたのはその時だ。漆黒の飛竜の額をよく見ると、魔導石のついた何か――古代遺物らしき物が埋め込まれていた。そいつが怪しく銀色に光っている。

飛竜の体高は三メートル、翼を広げれば六メートルを超えると言われている。ガンディアの珍獣、象以上の巨体だ。その攻撃は苛烈で重かった。

（くそっ）

いつまでも突進を防ぐのは無理だ。リーディスの背筋を冷たい汗が流れた。

しかし逃げるという選択肢はなかった。リーディスの中には王族の矜持がある。ここにいるのはか弱い貴族のご婦人達だ。見捨てて逃げるなんてその矜持が許さない。

「リーディス！　眉間が駄目なら心臓を狙え！」

飛竜の向こう側からサーシェスの声が聞こえてきた。サーベルを抜刀し、こちらに向かって駆け寄ってくる父の姿に、リーディスはぎょっと目を見開いた。

「父上！　天幕にお戻り下さい！」

「馬鹿者！　王族の異能はこういう時のためにあるのだ！」

今日のサーシェスは本調子ではなくて、狩りへの参加を見合わせていたはずなのに。

去年の今頃、サーシェスは一度倒れている。その時から健康不安説が囁かれているから心配だ。

サーシェスが念動力を使ったのか、飛竜の突進を防ぐ負担が軽減された。

「飛竜は私が抑えるからお前は心臓を狙え！」

「はい！」

守りに意識を割かなくていい、というのは心理的にも楽だ。

リーディスはサーベルにマナを込めると、荒れ狂う飛竜の懐に潜り込み、その胴体に突き立てた。

「グオオオオオオォ！」

飛竜の咆哮が大地を揺らした。

サーベルを引き抜き後ろに飛び退《すさ》ると、飛竜の胴体から赤い鮮血がドクドクと流れ出た。


やったのだろうか。

様子を窺うリーディスと、飛竜の視線が交錯した。

場違いにも竜の琥珀《こはく》の双眸《そうぼう》は美しかった。しかし次の瞬間、その琥珀が深紅に染まる。

――狂化《バーサク》した。

飛竜は手傷を負うと理性を失い、辺り一面を破壊し尽くすまで暴れることがある。その状態を狂化と呼ぶのだが、瞳の色が変わるのはその証しだ。

飛竜はリーディスに向かって前脚を振り上げた。

まずい。念動力による防御は間に合わない。

覚悟した瞬間、バチバチという音が聞こえ、飛竜の鉤爪がギリギリの所で止まった。

サーシェスの念動力がリーディスを守ってくれたのだ。

しかし壁が維持されたのは数秒の事で、パキン……という乾いた音が聞こえたかと思ったら、前脚が再び振り下ろされた。

リーディスは後ろに跳躍し、攻撃を避けると、念動力を発動させ、自分と飛竜の間に張り巡らせた。

「がふっ……」

背後から聞こえてきた咳き込みに振り返ると、蹲るサーシェスの姿が視界に入ってきた。

サーシェスは口元を押さえて咳き込んでいるが、その手が鮮血に染まっている。

「父上！」

気を取られたのが仇《あだ》になった。壁が薄くなったところに、再び飛竜の前脚が振り下ろされる。

慌てて改めて壁を展開し直すが――。

「ぐっ！」

何か——恐らく飛竜の脚がリーディスの胴体に当たり、体が宙を舞った。

痛みに薄れる意識の中で、リーディスは隙を見せた自分を呪った。

◆　◆　◆

一体何が起こったのだろう。エステルにはわからなかった。

ただ確かなのは、何かが勢いよくぶつかってきたせいで天幕が倒壊したという事だ。

幸いエステルは無傷だった。ネヴィルが突き飛ばしてくれた直後に胸元でも何かが弾ける感覚があったから、きっと『お守り』が守ってくれたのだろう。

しかしネヴィルの体の上には、天幕を支えていた金属製の梁が折り重なっていた。

シエラ、メイ、ニール……天幕内にいた他の人達の姿は見当たらない。恐らく倒れた天幕の下敷きになったのだろう。天幕の近くには、エステルをここまで運んでくれた馬車や護衛官の馬もあったはずだが——。

皆の様子を確認したかったが、それどころではなかった。

飛竜が目と鼻の先にいる。それも狂化した状態の。

竜の眼が血のような赤に染まっているのを見て、エステルは青ざめた。

漆黒の竜の胸元からは、赤い血がドクドクと流れ出ている。

瞬時に悟った。手負いにしてしまったのだ。そして眉間には攻撃が通らなかったであろう事も。

エステルの異能の瞳は捉えていた。飛竜の眉間を中心に銀色のマナが渦巻いている。

それは、アークレインが使う念動力の防壁のようであり、魔導具が起動する時の光にも似ていた。

胴体の傷口は、眉間に攻撃が通らなかったから心臓を狙ったのだろう。だけど飛竜の心臓の位置はそこではない。

飛竜と対峙する時のアングルにもよるが、心臓をピンポイントで狙うのは熟練の銃士でも難しい。一撃で眉間へのヘッドショットを決めるのが基本だが、やむを得ず心臓を狙う場合は複数人の銃士で胴体に一斉射撃を行う。

だけどエステルの瞳には『視え』る。どんな生き物でも心臓はマナの源で、一際強く銀色に輝くからだ。

きっとあの傷をつけたのはリーディスかサーシェスだ。でも二人の姿は見えない。まさか既にもう飛竜に――。

まずい。エステルは思考を止めた。飛竜と目が合ってしまったのだ。

狂化した飛竜に目を付けられたら終わりだ。飛竜の移動速度は魔導機関車と同等と言われている。

エステルの手元には制御装置を外した愛用の魔導銃がある。だけど恐怖で体が動かない。

「ガアッ！」

飛竜が短い咆哮とともに地を蹴った。撃たなければ死ぬ。だけど――。

死を覚悟してエステルは目を閉じた。

しかし予想していた痛みや衝撃の類いは来ず――。


「グオオオオ……」

そんな唸り声と、バチバチという何かが弾けるような音がした。

そっと目を開けると、マナの壁が形成され、盾となってエステルと飛竜の間を隔てている。

「その人に、触れるな……」

声の方向を見ると、倒壊した天幕の布の狭間から、ボロボロになったリーディスが半身を起こし、マナを放出しながら手をこちらに差し伸べていた。

このマナの壁はリーディスの異能だったらしい。

「エステル嬢、早く逃げろ……長くは持たない……」

そんな事わかっている。エステルには視えてしまう。リーディスのマナは尽きかけている。

エステルは腹を括った。今ここで飛竜を仕留めなければ、この場にいる何人が命を失うかわからない。


――たとえこの手が吹き飛んだとしても。

エステルは愛用の魔導銃を両手でしっかりと構えた。そして、咆《ほ》えながらマナの壁を執拗《しつよう》に攻撃している飛竜の心臓に狙いをつける。

大丈夫。やれる。

エステルには心臓の位置が正確にわかるし、この距離でならまず外さない。

体の中の全てのマナを魔導銃に込め、エステルは引き金を引いた。

八章　瑕

ガタガタと体が揺れている。

頭の下にはクッションらしきものがあるが、背中に当たる感触はやけに硬い。まるで板張りの床にそのまま寝かされているみたいだ。おまけにその床は常に揺れていて、振動が体に堪えた。

全身のあちこちが痛い。特に痛むのは左手だ。飛竜を撃つ時、命中率を上げるために両手で銃を持ち、左手を右手の上に添えたから、きっと怪我をしたのだろう。


――飛竜。


そうだ。自分は竜を撃ったのだ。だけど、引き金を引いた瞬間の反動がすさまじくて、そのまま後ろに吹っ飛ばされたのを思い出した。

そこからの記憶が無いから、恐らく反動の衝撃で気を失ったのだろう。

エステルは、ゆっくりと目を開いてみた。すると、白い布で作られた屋根が見えた。その丸く曲がった屋根の形と、外から聞こえてくる蹄《ひづめ》の音や体に伝わる振動から、幌付きの荷馬車に乗せられているのだと把握する。

「う……」

体を動かそうとすると酷く痛んで、エステルは呻《うめ》き声を上げた。すると、視界にメイの顔が入ってくる。

「エステル様！　目が覚めたのですね！　良かった……」

メイの顔は憔悴しきっていた。いつも冷静な彼女には珍しく、目には涙が浮かんでいる。

「無事だったのね……怪我はない……？」

「私は大丈夫です。エステル様が飛竜を倒して下さったから……」

「竜は……倒せたのね……」

ホッとしながらつぶやくと、メイは頷いてぽろぽろと泣き始めた。

「私はまた何もできませんでした……」

「飛竜が相手だもの……仕方な……」

言葉の途中でゲホゲホと噎《む》せてしまった。するとメイは慌ててエステルの上体を起こし、水筒を口元にあてがってくれた。

魔導式の保温機能が付いた水筒の中には紅茶が入っており、程よい温かさになっていた。

「も、もう大丈夫……」

喉が潤ったので断ると、メイはエステルの頭を丁寧にクッションの上に乗せ、元の体勢に戻してくれる。

「揺れが気になりますよね。申し訳ありません、乗ってきた馬車は壊れてしまって、こんな荷馬車しか手配できなくて……」

エステルは首を振った。確かにお尻や背中は痛いが、横になった状態で運んでもらえるだけでもありがたい。

ようやく少し落ち着いたのでメイをよく見ると、ボロボロになっている。

頭にも腕にも包帯が巻かれていて、怪我がないというのは嘘だったのだと気付いた。

「他の皆は……？」

ちゃんと教えてくれるだろうか、と不安になりつつもエステルはメイに尋ねる。

「一緒に天幕にいたメンバーの中ではネヴィルさんが重傷でした。どの程度なのかはまだわかりません……他の……ニールやシエラ様は軽傷です」

「リーディス殿下は……？」

「担架で運ばれていくのを見ましたが怪我の程度までは……ただ、意識はしっかりしていらっしゃいましたし、あの方は王族なので、きっとすぐに回復されるのではないかと思います」

「そうね、王族だものね」

アークレインのように驚異の回復力がある。

「……あの方が私を助けて下さるとは思わなかった」

エステルが飛竜の心臓を撃ち抜けたのは、リーディスが異能で守ってくれたおかげだ。あの念動力の壁が無ければ狙いを定める余裕がなかった。

脳裏をよぎるのは、メイを痛めつけた記憶だ。その当事者のメイは、特に気にもかけていないのか微かに微笑んだ。

「リーディス殿下のお考えはわかりかねますが、結果的に助かりました。エステル様を守って下さったから竜が討てましたし、私達も助かったんです」

メイの言う通りだ。エステルは頷いた。

「他の参加者の方々は大丈夫だった……？」

「わかりません。倒壊した天幕は一つでは無かったので……幸い天秤宮の天幕には死者は出ませんでしたが、他の天幕の中までは……」

「そう……」

「森からお戻りになったアークレイン殿下が事態の収拾に当たられています。国王陛下もお倒れになって、王妃陛下は酷く動転されていたので……」

確かにその状況だと、陣頭指揮を執れるのはアークレインしかいない。

「殿下からは、『傍にいてやれなくてすまない』との伝言をお預かりしております」

「仕方ないわ。そういうお立場の方だもの」

エステルは力なく微笑んだ。

少し寂しいけれど、フローゼス伯爵領で似たような事が起こったら矢面に立つのは兄だと思うと納得できる。

「私の手はどうなっているの……？」

酷く痛む左手に視線を向けてみた。

指先から手首まで白い包帯で覆われていたので、その下がどうなっているのかはわからない。頭もズキズキする。こちらは多分マナの枯渇症状だ。

「飛竜を撃った時に銃身が壊れて……手にいくつも破片が食い込んでいました。今は応急処置をしただけなので、詳しくはこれからお医者様に診ていただかないと……狩猟大会に帯同していた医師にはとても診てもらえる状況ではなくて……」

「もっと傷の重い人が優先だものね」

微笑むエステルに対して、メイの表情は暗い。

「天幕が倒れてきた時、胸元で何かが弾けたような感覚があったの。『お守り』は無事……？」

「いえ、罅《ひび》が……ご覧になりますか？」

頷くと、メイは「失礼します」と前置きしてから、エステルのドレスの胸元からブローチを外して見せてくれた。

装飾部分にも台座にも、確かに細かい罅が入っている。

「カメオの部分を変えていただいていて良かった……」

このブローチは、元はミリアリアの遺品だったが、カメオの部分をあまり価値の高くない白蝶貝《マザーオブパール》の飾りに変え、アークレインからは、『仮に役目を終えて壊れてしまっても気にしなくていい』と前置きされた上で渡された魔導具だ。

「エステル様……壊れたのは実はこのブローチだけではなくて……」

またメイの目から涙が零れだしたので、エステルはギョッと目を見開く。

「どうしたの、メイ……？」

「ゆ、指輪に瑕《きず》が……魔導具の指輪は無事でしたが、婚約指輪は……」

メイは震えながら、女官服のポケットから手巾《ハンカチ》を取り出した。

手巾は何かを包むような形に折り畳まれていた。メイは、それを丁寧な手つきで開いていく。そして中からロードライトガーネットの指輪を取り出した。

石にも金属の土台にも大きな瑕が入っている。常にはめていたから壊れた魔導銃の破片が当たってしまったのだろう。

「恐らくリカットが必要になるかと……」

「悲しいけれどこれも仕方ないわ……命があっただけ良かったと思わないと」

本心からそう思ったはず、なのに……。

エステルの目からも涙が零れた。

◆
◆
◆

次に目覚めた時、エステルの視界に入ってきたのは天秤宮の中に与えられた自室の寝室だった。

荷馬車で運ばれていたはずなのだが、マナの枯渇による頭痛が酷かったから、いつの間にか意識が落ちていたらしい。

頭痛は治まっているが、体全体が熱っぽかった。

怪我をすると熱が出る。以前左腕を銃で撃たれた時も、アークレインが大怪我をした時もそうだった。

共通の寝室ではなくて個人の寝室に運ばれたのは、体調を考えての事だろう。

（どれくらい眠ってたのかしら……）

辺りは明るかったので日中なのは確実だ。時計を見ようとして室内を見回したエステルは、ベッドのすぐ傍に置かれた椅子でアークレインがうたた寝しているのに気付き、目を見開いた。

宮殿に入って二カ月半ほど一緒に過ごしてきたが、アークレインの寝顔を見るのは初めてだ。彼は寝付きが悪く寝起きが早い。それだけではなくて、ちょっとした音でもすぐ目を覚ましてしまう。

眠りが浅いのは体質だと本人は言っていたけれど、天秤宮に仕える職員たちの話を総合すると、どうやら子供の頃から暗殺者に襲われてきたせいでこうなったらしい。

エステルが体を起こして覗き込んでも目覚めないところを見ると、相当に疲れているようだ。彫像のように整った端正な顔はどこかやつれている。

（一体いつお戻りになったのかしら）

あれだけの事件の事後処理が一日や二日で終わるとは思えない。エステルは眉をひそめた。

眠りすぎたせいか頭が重だるいけど、体の痛みは馬車で運ばれていた時に比べると随分とマシになっていた。相変わらず左手はズキズキするけれど、背中やお尻は押すと痛いという程度に変わっている。

そっとナイトウェアの裾をめくって痛む部分を確認してみると、内出血の痣《あざ》がかなりの広範囲に亘《わた》ってできていた。

銃を撃った時に反動でかなり勢いよく後ろに吹っ飛んだ記憶があるから、その時にぶつけたのだろう。赤黒くなっていて我ながら気持ち悪かった。

これは治るまでアークレインには見せられない。

ただでさえ自分の体はアークレインほど綺麗ではないのだ。こんなに汚い痣だらけの体を見られるのは絶対に嫌だった。

エステルは小さなため息をつくと、アークレインに向き直った。こんな場所でうたた寝したら体を痛めてしまう。

ふと彼を看病した時、横になって眠るよう言われたのを思い出す。彼も同じ気分だったのかもしれないと思うと口元が緩んだ。

「アーク様」

声を掛けながら怪我の軽い右手の指先を伸ばすと、唐突にアークレインの目がカッと開いた。そしてエステルの腕が摑まれたかと思うと、次の瞬間にはベッドの上に押し倒されていた。

爛々《らんらん》と輝く獣のような深い青の瞳がエステルを射抜く。――が、次の瞬間、その目は驚きに見開かれた。

「エス……テル……？」

「はい」

返事をすると、アークレインは慌てて身を離し椅子へと戻った。

「ごめん、襲われたのかと思って反射的に……痛くなかった？」

「大丈夫です。私の方こそ申し訳ありません。突然触ったりしたから……」

本当は体が軋《きし》むように痛んだが、エステルは咄嗟に嘘をついた。本当の事を言ったらきっと彼を傷付けてしまう。

「エステルのせいじゃない。そうじゃなくて……」

アークレインの顔が苦しげに歪《ゆが》んだ。

「目が覚めて良かった……」

まるで泣き笑いのような表情に、エステルはぽかんと呆気にとられる。

「私、そんなに眠っていましたか……？」

「丸二日かな。全然目を覚まさないと聞いていたから心配した」

アークレインの回答に、慌てて壁の時計を確認すると十時を少し過ぎた所を指していた。

「体調は？」

「あちこち痛いしだるいですけど……気分はそんなに悪くないです」

これは枯渇状態だったマナがほぼ全快しているのが大きい気がする。

「いつお戻りに……？」

「今日。夜が明けた頃かな。夜通しアズールを飛ばしてきたからさすがに疲れた」

「どうしてそんな無茶を……」

「こちらが心配だったからに決まってる。まだ完全に後始末が終わった訳ではないからしばらくバタバタすると思うけど、とりあえず現地でやるべき事はやってきた。すぐに駆け付けられなくて申し訳なかった」

「そんな！　アーク様のお立場は理解していますから！」

謝罪され、エステルは慌ててアークレインに声を掛けた。

第一王子という立場でありながら、全てを投げうってエステルの所に駆け付けていたとしたら、逆に軽蔑したかもしれない。

「……本当に君は物わかりが良い」

アークレインは目を瞑ると、深く息をついた。

「あの……眠っていた間の出来事を教えていただけませんか？　ネヴィルの怪我の具合とか……」

おずおずと尋ねると、アークレインは顔を上げてエステルに向き直った。そして、エステルの体調が悪くなったら切り上げる、と前置きした上で、今の段階でわかっている事を色々と教えてくれる。

ネヴィルは腰や足の骨を折る重傷で、今は病院に入院している。完治した後も元に戻るかどうかは未知数だが、本人に意欲はあるようだ。王室護衛官としての復帰が難しかった場合は後進の指導に回ってもらう予定らしい。

軽傷だったニールとメイは既に職場復帰しており、同じくシエラもロージェル侯爵家のタウンハウスに戻ったそうだ。

リーディスは命に別状はなく、今は彼の宮である宝瓶宮で療養中だが、異母弟の事を話すアークレインの表情は曇っていた。

「君を助けたのは王族の一員として、臣民を守らねばという意識があったからだと思う」

「メイも守るべき臣民なのでは……」

「父上には『ちょっと驚かせただけだ』と弁解していたらしい。あいつの頭の中身はわからないけど、私の手の者だからちょっとくらい痛めつけてもいいと思ったのかも」

かつて天秤宮の庭でメイを傷付けようとした事件について言及すると、アークレインはため息をついた。

「カレッジでの生活態度を聞く限り、あれで下級生には優しくて慕われているらしいんだ。だからそこまで性根は腐り果ててないと思うんだけど、べったり引っ付いている外祖父がね……」

外祖父――トルテリーゼの父親であるマールヴィック公爵は、良くも悪くも『貴族らしい貴族』だ。サーシェスの前の国王、アークレインの祖父の弟にあたる人物で、頭の固い前時代的な老人という印象がある。特に民族主義者で移民嫌いな事は有名だ。

(……アーク様はリーディス殿下の事を完全に嫌っていらっしゃる訳ではないのね……)

リーディスにも認められる部分はあって……だからこそ王位に執着していないのかもしれない。

頭の中に浮かぶのは、天秤宮にて日々の公務に真面目に取り組むアークレインの姿だ。

エステルの目には、アークレインの中にも王族の責任感はしっかりと存在しているように見える。

そして、それを簡単に放り捨ててしまえる人ではない。

リーディスに成長の余地があると考えているから、身を引いてもいいと思っているのではないだろうか。

アークレインは椅子に深く腰掛けると一つ大きな息をついた。そして「父上は……」とサーシェスの健康状態について言及する。

「元々風邪が治りきっていない状態だったのに、無理に異能を使ったせいで体調がさらに悪化したと発表されたんだけど、実際のところどうなのかはよくわからなかった」

今日の朝一番に報告のために面会したものの、のらりくらりとはぐらかされたらしい。

そして、飛竜の被害だが、残念ながら死者が出てしまったそうだ。

「今朝まで戻ってこれなかったのはそのせいなんだ。ポーレット伯爵家の夫人と女中《メイド》が倒壊した天幕の下敷きになって亡くなった」

死者は二人だが怪我人はもっと多い。王家主催の催しで出た死傷者だから、弔問やら見舞金やらの手配をしなければいけないが、それらはサーシェスが療養宣言をしたのでアークレインに圧《お》し掛かるようだ。

「父上はあまり大したことはないからすぐ復帰するって言ってはいたけど……それを信じるしかないかな」

アークレインは何度目になるのかわからないため息をついた。

はぐれ飛竜、それも狂化した個体が暴れたにしては少ない被害だが、死者が出たと思うと心が痛む。

「はぐれ飛竜は天災のようなものですが……こんなに南までやって来るなんて……」

「違う。あれは天災じゃない。作為的なものだ」

「え……？」

エステルは目を見張った。

「飛竜の額に古代遺物《アーティファクト》の部品らしきものが埋め込まれていた」

アークレインの言葉に、エステルは飛竜の頭にマナの壁のような物が視えたのを思い出した。

「黒の飛竜という事は竜骨山脈から飛んできたという事ですよね？　そんな長距離を古代遺物で操るなんて……」

言いかけてエステルは口をつぐんだ。不可能を可能にする。そんな効果を持つ強力な古代遺物は、数は少ないものの確実に存在しているからだ。

「王族が主催する狩猟大会を狙ったんだ。国家転覆を謀る地下組織や秘密結社の仕業かもしれない。その線で調査を進めている」

そう告げるアークレインは憂鬱そうだった。

「国家転覆なんてありえない……私達が文明的な生活を送れるのは王家の方々のおかげなのに……」

ローザリア、フランシール、アスカニア、イベレス――ヘレディア大陸の西側に位置する諸国の王族は、そのほとんどが古代ラ・テーヌ王家の末裔《まつえい》と言われている。

その血統は特別で、それぞれの王家に伝わる古代遺物には、王族のマナにしか反応しないものが多数存在しており、その中に上下水道の要となる浄水装置が含まれているのはあまりにも有名だ。

また、そもそも平民と貴族では生まれつきのマナの量が違う。文明的な生活を送るためには魔導具や古代遺物がないと立ち行かず、威力の高いそれらは高いマナを持つ者にしか使いこなせない。

王侯貴族が為政者として君臨している理由は、マナによる恩恵をマナの少ない者に分け与えるためとも言える。

「世の中には色々な考え方の人間がいるからね。黒幕の事はこちらでしっかり調査するから、エステルは体を治す事だけ考えて欲しい。今回はありがとう。君がいなかったらどれだけ大きな被害が出たか……」

アークレインは表情を曇らせつつも微笑みかけてきた。そして、ハッと何かに気付いたような顔をする。

「伝え忘れてた。この事件なんだけど……全て包み隠さず大々的に公表する事になった。竜の討伐者に関しても……目撃者が多すぎて箝口令《かんこうれい》が徹底できなくて……」

アークレインはどこか気まずそうだった。エステルは理由がわからず首を傾げる。

「今、新聞では君が大きく取り上げられている。竜討伐最大の功労者として」

そこまで言われてやっと呑み込めた。

「竜を撃ったのは私ですが、それはリーディス殿下が守って下さったからです」

「それも含めて美談として取り上げられている。政敵と思われていた二人が手を取り合って竜を討伐した、と。『竜殺しの聖女《セイント・ドラゴンスレイヤー》』、『竜殺し嬢《レディ・ドラゴンスレイヤー》』、『竜殺しの王子妃《プリンセス・オブ・ドラゴンスレイヤー》』——各紙表現は違うものの、どの紙面でもエステルは英雄扱いだ」

背筋に冷や汗が流れた。女性であるエステルには素直には喜べない名声だ。

「きっと野蛮だとか蛮族だとか言われるんでしょうね……」

エステルはため息交じりにつぶやいた。

「公表を止められなくて本当にすまない……」

「いえ……」

エステルは考えた。そしてしばしの沈黙の後、アークレインに告げる。

「この功績も『使って』下さい。アーク様のためになるのなら、陰で何を言われても私は平気です」

「……わかった」

わずかな逡巡が彼の葛藤を現しているような気がした。

「実は父上から勲章授与の打診があった。ローザリア・クロス勲章を君に授与したいと」

「ええっ」

エステルは驚いた。

ローザリア・クロス勲章は国家への貢献が認められた者に贈られる勲章だ。運用範囲の幅広い勲章だが大変な栄誉である。

「打診を受けたとしても実際に授与されるのは年末だけどね。エステルが叙勲されれば、私にとって大きな追い風になる。……そろそろ覚悟を決めろと言われた」

「覚悟とは、王太子にと言う事ですか……？」

「そうなるね。その場合、王妃やマールヴィック公爵と真正面からぶつかる事になる」

そう告げるとアークレインはため息をついた。

彼が覚悟を決めたら、その時はエステルも腹を括らなければいけない。


王冠、鍵、羽根筆《クイル》、聖剣――戴冠式において国王が身に着ける四種の王権の象徴《レガリア》を身に着けた彼はきっと眩いばかりの輝きを放つのだろう。しかし、そうなった場合、エステルもまた、代々の王妃が受け継いできたサファイアの宝飾品、『クイーン・ブルー』を身に着ける事になる。

王妃は国の母。その立場は正直重い。しかし、アークレインの隣に立つと決めた以上、その重荷もまた背負わなければいけない。


「勲章を受けるかどうかは、アーク様のご判断にお任せします。……丸投げするようで申し訳ないのですが」

「いや、正直助かる。もう少し考える時間が欲しい」

エステルは静かに微笑んだ。アークレインがどんな決断を下したとしても、エステルは支えるだけだ。

「最後に……その左手の事なんだけど」

どこかアークレインは言いにくそうだった。その様子に、エステルは自分の左手に視線を落とす。

そして思い出した。この怪我の状態をまだ知らない。

包帯に覆われた手は、少しでも動かそうとすると酷く痛んだ。人さし指から小指の第二関節から指の付け根にかけての範囲が特に痛い。両手で銃を構えた時に銃口からの距離が一番近かったから、きっと壊れた銃の破片でズタズタになったのだろう。

「この手は今後動かせる状態になるんでしょうか……？」

エステルの疑問にアークレインは目を見張った。そして即座に強く言い切る。

「動くようになるはずだ。幸い腱は傷付いていないと聞いている。しばらく違和感を覚えるかもしれないけれど、訓練すればきっと元通り動かせるようになる」

「……傷痕は？」

「それは……残る可能性が高い」

「……そうですよね。覚悟はしていました」

エステルは微笑もうとして——失敗した。うまく表情が作れなくて、顔の筋肉が強張《こわば》る。

「マナを傷口に流すようにすれば多少は薄くできるはずだ。もし仮に傷が残ったとしても、君の価値が下がるとは考えていないからどうか自分を卑下しないで欲しい」

「はい……わかっています。命が助かっただけで十分だって」

今度はうまく笑顔が作れた。すると、アークレインは何かをこらえるような表情をし、左手の指先に手を重ねてきた。

「瑕《きず》が入ってしまった指輪は作り直そう。実は指輪を贈った後でメイに叱られてしまったんだ。二人で一緒に作った方が良かったのではって……」

「えっと、私は嬉しかったですよ？　好みのデザインのものを贈っていただいたので……」

指輪を贈ってもらった時のアークレインの顔を思い出したら自然に笑みが零れた。今度は心からの笑みだ。

「どんなものがいいのか考えておいて欲しい。歴代の王子妃や王妃の指輪を超えるものは無理だけど、それ以外の要望はできる範囲で叶える」

「そうですね。トルテリーゼ陛下のものよりも贅沢な指輪を身に着けたら睨まれますよね」

エステルは口元を綻《ほころ》ばせながら、アークレインの手が重ねられた指先を見つめた。

◆◆◆

しっかり眠ったのが功を奏したのか、エステルは、翌日にはベッドから起きても問題ない体調になった。

とはいえ、背中もお尻もまだ痛むし、左手の包帯も取れていないので、自分の部屋で大人しく過ごすようにと言い渡されている。

「エステル様、スノウを連れてきましたよ！」

左手が使えないとやれる事は読書くらいしか思い付かない。退屈していたら、リアが猫専用部屋からスノウを拉致……もとい、バスケットに入れて連れてきてくれた。

硝子玉のような青の瞳の白猫は、バスケットからひらりと降り立つと、ソファに座るエステルの近くにやって来た。そして興味深そうに左手の包帯に鼻をひくつかせながら顔を近付けて――「臭っ」という顔をすると、逃げていった。

「そんなに臭かった……？」

「手に塗ったお薬の匂いが刺激的だったのかもしれませんね……あっ、こら！」

リアが叱ったのは、絨毯《じゅうたん》の上で伸びをしたかと思うと、バリバリ爪とぎを始めたせいだ。

「絨毯は買い替えればいいから怒らなくていいわよ。好きにさせてあげて」

スノウは布のひっかき心地がお気に入りのようで、絨毯や布張りのソファが爪とぎの標的だ。木は好みではないらしく、家具や柱に興味を示さないので、猫の中でも良い猫のような気がする。

しばらくバリバリすると満足したのか、スノウはきょろきょろと辺りを見回し、エステルの部屋の探検を始めた。

動物はそこに居るだけで可愛くて心を癒やしてくれるので凄いと思う。ただ歩いているだけなのに本当に可愛い。

ずっとこの部屋で過ごしてもらいたいくらいだが、ここにはスノウのものが何もないので、適当なところで専用部屋に返さなければいけないのが残念だ。

リアがリボンで作ったスノウ用のおもちゃを持ってきてくれた。右手で持ってひらひらと振ると、ピクリと反応して食いついてくる。

ソファに座ってスノウと遊んでいると、慌てた様子でメイが飛び込んできた。

「エステル様、大変です！　シリウス様がおいでになりました！」

メイの報告にエステルは目を丸くした。

◆◆◆

はぐれ飛竜の事件は国民に包み隠さず報告されたから、今、ローザリアの国内は大変な騒ぎになっている。

エステルも天秤宮で購読している高級紙《クオリティ・ペーパー》を何紙か見たが、どの紙面も国家転覆を狙う過激派の仕業に違いないという論調だった。

政府は過激派には屈しないと表明し、国家の威信をかけて犯人を捕らえると宣言した。

自分については……かなり恥ずかしい美辞麗句が並べたてられており、背中が痒《かゆ》くなってとてもではないが最後まで読めなかった。

エステルの異名は、最近は各紙『竜殺しの王子妃《プリンセス・オブ・ドラゴンスレイヤー》』で統一されている。まだ結婚前なので『王子妃《プリンセス》』ではないのだが……。

どうやらシリウスは、それらの記事を見て大慌てで領地から魔導機関車に乗って首都に駆け付けたらしい。

事前の連絡なしの訪問だが事情が事情だ。ひとまず応接室に通したが、肉親なら構わないだろうという判断で、エステルの私室に来てもらう事になった。

見知らぬ人がストレスになってはいけないので、スノウは猫部屋に返してもらう。

白猫と入れ違いに部屋にやって来たシリウスは、エステルを見て涙目になった。

「五体満足で良かった……飛竜に襲われて怪我したって聞いたから、居ても立ってもいられなくて……」

「そうね、打ち身と手の怪我は酷いけど、それだけで済んだ」

シリウスは飛竜に襲われた人間の無惨な遺体を何度も見ている。その場で脱力したように深く息を吐いた。

「座って下さい、お兄様。駆け付けて下さったのは嬉しいけど、竜伐は大丈夫なの？」

「雪解けが早かったからそろそろ竜穴猟はできなくなる。一応レジェ伯爵家に連絡して、何かあった時は支援してもらえるよう話はつけてきた」

レジェ伯爵家は、フローゼス伯爵領と同じく竜骨山脈を領地に抱える隣領の領主だ。次代の後継者、ハイディは、フローゼス伯爵家の兄妹の幼なじみでもある。

レジェ伯爵家にのみ連絡したのは、南隣のウィンティア伯爵家とは断絶状態になっているからだろう。エステルのかつての婚約者、ライルは薬物に手を出し、レジェ伯爵家にも迷惑をかけているから、現在ウィンティア伯爵家は孤立しているはずだ。

「ところで記事には竜を仕留めたのはお前だって書いてあるんだけど……」

シリウスに尋ねられ、エステルは意識をウィンティア伯爵家から兄へと戻した。

「そうね」

「本当なのか？」

「ええ。リーディス殿下が守って下さったから仕留められたんだけど」

返事をすると、シリウスはソファに深く腰掛けて俯いた。

もしかして令嬢らしくないと叱られるのだろうか。兄のマナはうっすらと陰っている。

「あの……お兄様、怒ってますか……？」

沈黙に耐え切れずにおずおずと声を掛けると、シリウスは首を振った。

「いや、その逆だ。よくやった。フローゼスの女としては正しい。……けどお前の兄としては複雑なんだ。妹が危険な目に遭ったんだからな……」

そう告げると、シリウスは気遣わしげな目をエステルに向けてきた。

◆　◆　◆

「――お兄様の婚約者探しはどう？　よさそうな方はいるの？」

「殿下にも協力してもらっていろいろ検討中。……それよりお前が撃ち殺した飛竜の骸はどうしたんだ？」

「調査と研究のために魔導工学研究所が買い上げる事になったの。その中から討伐報奨金を下さるというお話だったんだけど辞退したわ。亡くなられた方や怪我をした方に使って下さいとお願いしました」

「お前にしては気が利いてるな。殿下の案か？」

「失礼ね、私から申し出たのよ」

「ふうん、一応お前も成長してるんだな。王子妃教育のおかげかな？」

「お兄様って基本的に失礼よね……」


シリウスと互いの近況を報告し合っていると、アークレインが天秤宮に帰ってきた。

どうやらシリウスが来ていると聞きつけて、慌てて戻ってきたらしい。

エステルの部屋にやって来たアークレインは、兄の姿を見るなり深々と頭を下げた。

「大切にするとお約束したエステルに、傷痕が残るような怪我をさせてしまい、申し訳ありませんでした」

シリウスもエステルも、揃ってぽかんと口を開ける。

「殿下！　王族がそんなに簡単に頭を下げてはいけません！」

自失から戻ったのはシリウスの方が早かった。慌ててソファから立ち上がると、うろたえながらアークレインに駆け寄る。

「顔を上げて下さい。私は殿下を責めるために来た訳では無いんです」

「そうです！　純粋に私の様子を見に来ただけです！」

エステルも兄に賛同する。

「左手の怪我の事は聞きました。仕方なかったと思っています。むしろ、よくやったと褒めたくらいで」

二人揃って声を掛けると、ようやくアークレインは頭を上げた。

「森の奥深くに入っていたせいで、私は間に合わなかったんです。もし私にリーディスのように空間転移の異能があれば――」

「……殿下は竜伐の様子をご覧になった事はありますか？」

後悔を滲ませるアークレインにシリウスが尋ねた。

「いえ、今まで機会がなかったので」

「社交期《ザ・シーズン》と時期が被るのでお忙しいとは思いますが、一度いらして下さい。もしご覧いただければ、エステルがどれほど幸運だったか実感できるのではないかと思います。今回はリーディス殿下が異能で守って下さったお陰で余裕をもって心臓を狙えたようですが、本来の竜伐はそんなに甘いものではありません」

シリウスはいつもと違って領主の顔をしていた。

「時間を捻出して必ず行かせていただきます」

アークレインもまた、第一王子の顔で応える。するとシリウスの顔が綻んだ。

「楽しみにお待ちしております。殿下にご紹介いただいた事業のご報告もさせていただきたいですし」

（事業？）

首を傾げたエステルに、シリウスが説明してくれた。

「殿下に新しい事業をご提案いただいたんだ。殿下が後援する研究機関で、甜菜《てんさい》から砂糖を作る技術が開発されたとかで」

甜菜は大ローザリア島北部では、牧草として広く栽培されている植物だ。

「甜菜から砂糖……？」

眉をひそめたエステルに、アークレインが解説してくれる。

「甜菜の根から甘い液体が出るのは昔から知られていたんだけど、それが砂糖黍《きび》から取れる砂糖と同じ成分だって突き止めた研究者がいてね。製糖技術がようやく実用化できそうだって言うから、工場の建設地にフローゼス伯爵領を紹介したんだ」

砂糖は南国からの輸入品に頼っているから高価だ。もし甜菜からの製糖事業が成功すれば大きな商機になる。

「採算は……」

「気になるなら事業計画書を見せてやってもいいけど、お前が見てわかるかな……」

シリウスの馬鹿にしたようなつぶやきに、エステルはぐっと詰まった。

「工場の経理はエステルにはちょっと難しいかもしれないね。少し高度な会計知識が必要になる。気になるなら会計学の教師を手配するけど」

「いえ、大丈夫です」

これ以上授業を増やされてはたまらないし、今のエステルには高度な会計学よりも優先して身に付けるべき知識がある。間髪をいれずにアークレインの提案を断るとシリウスに笑われた。

婚約が決まってすぐ、アークレインは新式の竜伐銃をフローゼス伯爵領に贈ってくれたが、彼によってもたらされた恵みはそれだけではなかったのだ。

エステルは、難しい話を始めた兄と婚約者の横顔を見つめた。

◆　◆　◆

同時刻、アルビオン宮殿、宝瓶宮――。

王室主催の狩猟大会にて祖父の企みに乗り、飛竜と対峙し、負傷したリーディスは、在学中のロイヤル・カレッジには戻らず、自身の宮である宝瓶宮内で療養していた。

肋骨が折れ、内臓にも損傷が見られたが、飛竜の一撃を受けたにしては軽傷だ。恐らく異能の壁が多少は衝撃を緩和したのだと思われる。

また、リーディスは王族なので、自然治癒力が非常に高く頑丈にできている。医師も驚く速度で回復していた。

しかし、肋骨を保護するためのコルセットを着け、ベッドに転がり続ける日々はひたすらに退屈である。

ぼんやりとしていると、飛竜に立ち向かう異母兄の婚約者の姿が頭の中をちらついた。

狂化した飛竜の突進を受け、エステル・フローゼスは、いったんは恐怖に凍りついたものの、リーディスが異能で守った直後自失から立ち直り、凛々《りり》しい軍人のような表情を見せた。

その顔は、リーディスが好奇心のままに天秤宮に忍び込み、兄の優秀な手駒にちょっかいを出した時に彼女が見せたものと同じだった。

竜骨山脈にアヴァロン島——竜生息地出身のマナの高い女性は竜伐銃を扱う術を学ぶと言うが、皆あのような別の顔を持つものなのだろうか。

家柄も能力も平均的で容姿も地味だが、王族に嫁ぐための最低条件は満たしているし、よく見ると顔もそんなに悪くない。射撃の腕は王子妃には不要な能力だが、危機に直面した時に見せた姿には不覚にも引き付けられた。

そこまで考えて、リーディスは舌打ちした。

自分にとっての最大のライバルが、それなりに優秀な女性を配偶者に迎えるというのは面白くない。

寝室を侍従が訪問してきたのは、もやもやした気持ちを振り払うため、暇つぶし用の本に視線を落とした時だった。

「殿下、お見舞いにマールヴィック公爵閣下とシルヴィオ卿がおいでになっています」

「お祖父様と叔父上が？」

リーディスは顔を上げると目をわずかに見開いた。

釘を刺しに来たのだ。反射的にそう思った。

はぐれ竜の襲撃が作為的なものだったという事は、その骸を見れば一目瞭然だった。何しろ眉間に明らかに古代遺物の部品と思われるものが撃ち込まれていたのだから。

王室主催の狩猟大会ではぐれ竜を暴れさせ、国王一家と主だった貴族を殺害しようした――世間では国家転覆を謀った反政府組織の仕業だと噂されている。

市民の動揺を鎮めるため、サーシェスはエステルとリーディスの二人を『竜殺しの英雄《ドラゴンスレイヤー》』として担ぎあげた。

特に自身が負傷するのも厭《いと》わず飛竜の心臓を撃ち抜いたエステルを、最大の功労者としてまつりあげて第二王子派への牽制《けんせい》とするつもりだ。

まだ結婚式前なのに、彼女に『竜殺しの王子妃《プリンセス・オブ・ドラゴンスレイヤー》』の異名が定着しつつあるのも、エステルとリーディスが二人で協力し、政敵同士が手を取り合って飛竜を討伐したとやけに強調した報道がされているのも、父が裏で何かしている可能性がある。

元々サーシェスは法の原則を崩すべきではないという立場から、アークレイン寄りの立場を取っている。アークレインの未来の妃であるエステルを持ち上げて、異母兄の立太子を有利にする方向に持っていくつもりなのだろう。

当初の目論見が外れたばかりか、アークレインに優位に働く結果となり、祖父はさぞかし怒り狂っているに違いない。

リーディスの予想通り、叔父のシルヴィオを連れて現れた祖父、ミルセア・マールヴィックは、不機嫌な表情でリーディスのベッドの傍に置かれた椅子へとどっかりと腰掛けた。

ミルセアは前国王の弟に当たる人物である。サーシェスやリーディスとも共通する容貌の、眼光鋭い老人だ。

「具合はいかがですか、リーディス殿下」

「……随分良くなりました。ご期待に沿えず申し訳ありませんでした、お祖父様」

リーディスが謝罪すると、ミルセアは目を閉じて首を横に振った。

「こちらこそ申し訳ありませんでした。……実は森まで飛竜を連れてきたところで古代遺物が壊れてしまいまして」

「壊れたのですか？」

飛竜が制御されておらず、大騒動となった事について一体どんな言い訳をするのかと思いきや、なんともお粗末な理由である。

「僕はこんな計画、無謀だって言って止めたんですよ、一応……」

おずおずと発言したのは祖父の付属品……もとい叔父のシルヴィオである。彼はトルテリーゼの十歳下の弟だ。

トルテリーゼとシルヴィオの姉弟は、既に故人であるミルセアの妻によく似ている。

だが、シルヴィオは気弱な性格が見た目にも現れていて、猫背と俯きがちの姿勢が王妃に似た整った顔立ちを台無しにしていた。覇気がなく頼りない印象の人物だが、ミルセアの次にマールヴィック公爵家の当主となるのは彼である。

「お前は黙っていろ」

舌打ち交じりにミルセアに睨まれ、シルヴィオはビクリと身を竦ませた。

いつも祖父の前では萎縮し、おどおどとしている叔父の事がリーディスはあまり好きではないが、今回は彼と全く同じ意見だった。

古代遺物の発見から二年、検証を繰り返したと言うが、未知の古代遺物を調べるには不十分だったという事だ。

この一件の責任を問われ、リーディスに長く仕えてくれた侍従長のルシウスは更迭された。他にも何人かの職員が宝瓶宮から姿を消したのが腹立たしい。

「どうしてあのような危険な計画を立てられたのですか。下手をすれば、僕を含めたあの場にいた全員が死んでいたかもしれない」

「忌々しい事に第一王子への工作はことごとく失敗に終わるのですよ。……だからリーディス殿下には鮮烈な印象のある手柄を立てていただきたかったのです」

リーディスの心の中に呆れと怒りが湧き上がった。

しかしミルセアにへそを曲げられては面倒なので、必死に心の中へと押しとどめる。

下手に祖父の機嫌を損ねると、自分がいかにリーディスを王にするために苦労しているのか、そして、ミルセアの中にある王位への妄執の二つを延々と聞かされる羽目になる。

『王冠を賭けた恋』で知られるギルフィス公が王太子の地位を捨て新大陸に去った後、その地位に就いたのは、リーディスのもう一人の祖父である先王エゼルベルトだった。

エゼルベルトとミルセアは双子だ。公にはなっていないが、帝王切開により生母の命と引き換えにこの世に誕生した。帝王切開での出産だった事が伏せられているのは、この国では『腹裂き児』と呼ばれ忌避されるためだ。しかしその出生の秘密こそがミルセアを歪めてしまった。

ミルセアは医師に取り上げられた順番の差で王位を逃したと思っていて、未だに根に持ち続けている。

エゼルベルトもミルセアも同じ『覚醒者』で、双子だけあってマナの量も同等だった。だからこそ余計に王位への未練が捨てきれなかったのだろう。

エゼルベルトの子であるサーシェスは異能に目覚めたが、ミルセアの子であるトルテリーゼとシルヴィオは、先天的に高いマナを持って生まれてきたものの『覚醒』しなかった。

子供に差が出た事は、よりミルセアの劣等感を煽《あお》った。

王位を継承した双子の兄と比べると、一段劣る家柄の女を妻に迎えなければいけなったから子に差がついた——ミルセアの口癖である。

祖母が早死にしたのは、ミルセアに虐げられたせいではないのか。口には出さないが、公爵家の関係者はきっと誰もがそう疑っている。

彼は孫であるリーディスに自分と同じ思いをさせたくないと主張し、アークレインを蹴落とす事に執念を燃やしている。

ローザリアの王権は強い。一応議会を尊重するという体を取ってはいるが、議会の議決を承認するかどうかを最終的に決めるのは国王である。

より優れた者が王位を継ぐべき、それがミルセアの主張だった。リーディスはずっとそう言い聞かされ、アークレインよりも優れた人間でいるよう求められてきた。だけど今、自分の中にある祖父への信頼感は揺らいでいる。


『優れた』とは何を基準に評価されるものなのだろう。

特別な異能、マナの量、そしてカレッジの成績。全てにおいて、自分はアークレインを超える成績を修めてきた。

だけど座学と実践は違う。既に公務において一定の成果を挙げている兄のように、成人した自分がうまくやれるかは未知数だ。

それだけではない。自分は異母兄ほどに対人能力が高くない。

異母兄は人たらしだ。機知に富んだ会話と穏やかな笑みを武器に器用に立ち回り、知らず知らずのうちに自分のペースに巻き込む話術を心得ている。

そもそも彼には厄介な外戚もいない。ロージェル侯爵家はミルセアのように出しゃばらず、あくまでも控えめに異母兄を支えている。

無関係な人間を巻き込むような危険な計画を立て、平然としている祖父は、国の事を考えれば害獣と言えるのではないだろうか。

果たして王たる資質はどちらにあるのか、今のリーディスには即答できなかった。

「お祖父様、このようなやり方はもうやめて下さい」

「そうですね。さすがに今回の件は肝が冷えました。次はもっと確実な手段を考えます」

穏やかな笑みを浮かべるミルセアがひどく醜悪な化け物に見えた。

ミルセアには常に暗い噂が付きまとう。アークレインの生母であるミリアリア前王妃とその兄、前ロージェル侯爵が若くして亡くなったのは、この祖父の陰謀ではないかと影では囁かれている。

今までは、そんなものはただの噂だと笑い飛ばせたのに。

もしかして異母兄にも政治的失脚を狙う以上の事を仕掛けてきたのでは……そんな疑惑が浮かび上がる。

「そのような事より殿下、飛竜の件について余計な事は仰いませんように」

「……言いません。言える訳がない」

やはり釘を刺しに来た。リーディスは心の中で舌打ちをした。

この件の捜査には、首都警察だけでなく、国王専属の諜報機関、『薔薇の影』も動いていると言われている。しかし、犯人については誤った方向へと突き進んでいるようだ。

ミルセアに言われるまでもなく、リーディスには真相を誰かに話すつもりはなかった。もし誰かに秘密を漏らせば、自分や祖父だけではなく、宝瓶宮の職員達を含めた多くの人間の身が危うくなる。

保身のために真実を隠さなければいけないなんて、自分が酷く汚い人間になった気がした。

「今回の件は母上も承知されていたのでしょうか」

「……いいえ。姉上は荒事を嫌われますし、リーディス殿下と飛竜を戦わせるなんて聞いたらきっと卒倒したと思うので……」

リーディスの疑問に答えたのはシルヴィオだった。

ミルセアは舌打ちをすると手にしたステッキで八つ当たりのように床を叩く。

「それにしても忌々しい。まさか飛竜討伐の功績を第一王子の婚約者に攫われるとは！」

「エステル嬢がいなければもっと大きな被害が出ていたでしょう。少なくとも僕はこの世にはいませんでした」

リーディスは内心の嵐を押し隠しながら反論した。

「その点は感謝しておりますとも。しかし我らにとって目障りな存在になったことは間違いない」

憎々しげなミルセアの表情に、リーディスは異母兄の婚約者が祖父にとっての排除対象になった事を悟った。

自分は一体どうすればいいのだろう。祖父を止めなければと思うのにどうすればいいのかわからない。まだ子供だという事を思い知らされ、悔しくてたまらなかった。

異母兄ならば何かいい方法を思いつくのだろうか。

自分の無力さが歯がゆい。祖父が正視できなくて、リーディスは目を逸らした。

エピローグ

「それでは殿下、エステルをよろしくお願いいたします」

シリウスは、天秤宮に一泊だけして領地に帰って行った。フローゼス伯爵領までは魔導機関車を使っても二日はかかる。完全に雪が解けたら竜伐は終わるが、次は冬眠明けで凶暴になる飛竜の対策を取らなければいけないので、この時期の伯爵領は忙しいのだ。

多忙なのはアークレインも一緒で、駅まで見送るのはスケジュール的に厳しかったのと、エステルの体調もまだ万全ではないため、シリウスとは天秤宮の入り口で別れた。

シリウスを送迎する馬車が出立すると、アークレインは深く息をつく。彼の表情には疲労の色が濃かった。

「アーク様、毎日お忙しくてお疲れなのに、兄の相手をしていただきありがとうございました」

エステルが声を掛けると、アークレインは首を振った。

「いや、シリウス殿がエステルを気にかけるのは当然だから……ただ、彼と対面すると緊張する。私にとっては岳父のようなものだからね……」

昨日は夜遅くまで遊戯室に二人してこもって意気投合しているように見えたのだが、実はそうではなかったらしい。目を丸くしたエステルに向かってアークレインは苦笑いした。

「未来の義兄上は君を大切にしているからね。実は連絡を取るたびに圧が凄い」

「ええっ」

シリウスの事だから何か失礼な事を言ったりやったりしたのではないだろうか。エステルは青ざめた。

「ああ、気にしなくていい。君のお兄様の心配もよくわかるから」

アークレインがエステルを見る目は、微笑ましいものに変わっていた。

彼のマナの色も明るいので、シリウスを不快には思っていないようだ。

「夏が楽しみだね」

「はい」

アークレインの言葉にエステルは微笑んだ。

昨日の夜、アークレインとシリウスで話し合って、七月から八月の間のどこかでフローゼス伯爵領を製糖工場の視察がてら訪問すると決めたらしい。

アークレインと一緒だと、大掛かりで大仰な帰郷になりそうだが、里帰りできるのは純粋に嬉しい。

「時間的にまだ余裕があるから、少し庭に出る？」

アークレインは懐中時計を確認しながら尋ねてきた。頷くと左手が差し出される。

「お尻と背中を痛めたって聞いてる。もし歩くのが辛いなら教えて欲しい」

「そっちはもうだいぶマシなんですよ。強く押さなければ大丈夫です」

エステルはアークレインの左腕に手を添えながら答えた。

◆　◆　◆
「久しぶりに外に出るんだから疲れたらすぐに教えて欲しい」

「そこ、石が落ちてるから気を付けて。後で庭師に言っておかないと……」

「今日は日差しが強いけど大丈夫？　まぶしくない？」

庭に出ると随分とアークレインが過保護だ。暑苦しいくらいの気遣いにエステルは面食らった。

「そんなにお気遣いいただかなくても大丈夫ですよ……？」

「でも、まだ完全に怪我が治った訳ではないよね」

アークレインの視線は、まだ包帯を巻いたままのエステルの左手に注がれている。

「もうほとんど傷はふさがっているんですよ。早ければ明日あたりから動かす訓練を始めていいそうです」

左手を目の前に持ってくると、アークレインのマナが陰り、気遣わしげな視線が向けられた。

彼は飛竜の襲撃に間に合わなかった事で自分をかなり責めている。

「手伝えることがあれば言って欲しい」

「はい。では訓練に付き合って下さい」

遠慮せずに告げると、少しだけアークレインのマナが明るくなった。

今の彼は罪悪感でいっぱいだから、こういう態度の方が良いと思ったのだが、結果的に正解だったらしい。

最近暖かい日が続いていたから、天秤宮の庭は、春の花が一気に開花しとても綺麗だった。

しかし、外に出るのは一週間ぶりなので体力が落ちている。少し歩くだけで息が上がってきた。

「少し休もうか」

アークレインはエステルをよく見ている。すぐに気付いて小径《こみち》の途中にあるベンチへとエステルを誘導した。

「駄目ですね。ずっと寝込んでいたせいか疲れやすくなっています」

「歩くのが辛いなら抱き上げて……」

「恥ずかしいから嫌です。自分で歩きます」

断ると不服そうな目が向けられた。

「休めば大丈夫ですよ。それに、少しでも歩いて落ちた体力を取り戻さないと」

「……それもそうだね」

アークレインの表情には、まだどこか陰りがある。

「……婚約指輪の事なんだけど」

気まずい沈黙を破ったのはアークレインだった。

「どんなものにしたいか決まった？　そろそろ宝石商を手配してもいいかな？」

「えっと……宝石商よりも、デザイナーを手配していただきたいです」

エステルの発言にアークレインは眉をひそめた。

「もしお許しいただけるのなら、アーク様が現在お持ちの宝石を何か一つ賜って、元の婚約指輪の石と合わせて作り直したいなと思っていて……」

瑕が付いてしまったロードライトガーネットの指輪には鎖を通し、ネックレスとして常に身に着けるようにしている。エステルはその指輪を服の下から引っ張りだした。

「本当は深いブルーのサファイアが良いんですけど、婚約期間中は身に着けられないから……できたら赤紫と馴染む色合いの石だと嬉しいです」

アークレインは難しい顔をして考え込んでいる。

「瑕が付いてしまってもこの指輪はアーク様に頂いた最初の宝石ですから、別のアクセサリーにするのは少し嫌です。リカットで小さくなっても婚約指輪として身に着けたいです。駄目ですか……？」

「新しい宝石を買い足すのは気が進まない？」

「アーク様にはドレスとか靴とか、既にたくさん頂いていますから。それに、実はずっと憧れていたんです。母の婚約指輪がそうだったので」

エステルの母の婚約指輪は、フローゼス伯爵家に代々受け継がれてきた宝石をリメイクしたものだ。そのエピソードを話して聞かせると、アークレインは目を見張る。

そして、しばらく考え込んだ後、フロックコートの襟元を飾るラペルピンを外した。

大粒のダイヤモンドがあしらわれたそれは、アークレインが好んでよく身に着けているものだ。

「もしエステルが嫌でなければこれを使って欲しい」

アークレインはエステルにラペルピンを手渡した。手に取ってみると本当に大きなダイヤモンドで、手の平に載せると太陽の光を受けてまばゆく輝く。

「母上がロージェル侯爵家のお祖母様から受け継いだ指輪をリメイクしたものなんだ。もし気に入らなければ後で一緒に他の石を探しに行こう」

「気に入らないなんてとんでもないです！　でもミリアリア陛下の指輪だなんて……そんな大切なものを頂いてもよろしいのでしょうか？」

「エステルに身に着けてもらえるなら母上も喜んでくれると思う」

ようやくアークレインの表情に笑みが戻った。

「指輪のデザインも気に入っているので、あまり変えないようにしたいんです。リカットでどれくらい石が小さくなるのかわからないので、デザイナーや職人と相談しないといけないなとは思っているんですが」

「サファイアが使いたいなら内側にシークレットストーンとして入れればいい。それくらいなら父上に相談すれば許可を出してくれると思う」

アークレインの提案にエステルは目を見開いた。

「内石だから大きな石は無理だけど……」

「小さくてもいいです！　アーク様の瞳と同じお色味なら！」

エステルがそう発言した瞬間、アークレインのマナがぱあっと明るくなった。

驚いて彼の顔を覗き込むと、思い切り目を逸らされた。

「アーク様……？」

「そんな風に不意打ちのように言われたら、誰だってこうなると思うんだ」

アークレインはため息をついた。そしてマナが陰る。

「今日は感情の振り幅が大きいですね」

「……本当に君の異能は厄介だな」

「ごめんなさい……見なかった振りをするべきでした」

「……謝らなくていい。異能も承知の上で迎えたんだから」

マナの明るさが平常時に戻った。そっとアークレインの方を窺うと、彼は静かにエステルを見つめていた。

その中に、今までには見られなかった熱がこもっているような気がして、心臓がどくりと跳ねた。

あとがき

二巻に引き続き、この本をお手に取っていただきありがとうございます。

今回ウェブの投稿時にはなかったエピソードを書き下ろしておりますので緊張しております。いかがでしょうか？　お楽しみ頂けましたでしょうか？

昨年十一月からwebtoonの配信も始まり、一昨年受賞連絡を頂いた時には想像もしていなかった大勢の方々に作品に関わって頂く事になり、非常に驚いております。

声優の長谷川育美様、江口拓也様、一巻刊行時のＰＶ・ボイスドラマに引き続き、ボイスコミックにお声を当てて頂きありがとうございました。

イラストレーターのボダックス先生、一巻に引き続き、今回も美しいカラーイラストと挿絵を描いていただきありがとうございます。どの挿絵も素晴らしいのですが、特に白猫のスノウのイラストが……！　一番のお気に入りで宝物です。

webtoon版の『婚約破棄のその先に（以下略）』は、この原作小説をフルカラーの縦読み漫画にして頂いております。ネームも作画も本当に素晴らしいので、未読の方は是非ご一読ください。無料で読んでいただける一、二話はボイスコミック化されておりまして、ドリコムメディアの公式サイトよりご覧いただけるようになっております。

制作・配信にご尽力いただきました構成のしょうこ先生、株式会社サーチフィールド様、ならびにこの作品に関わって下さった皆様、誠にありがとうございました。

そして担当の上山様。上山様がいらっしゃらなかったらwebtoonも書籍も世に出ていなかったと思います。今回はプロット段階から何度も相談に乗って頂きありがとうございました。

最後に、ウェブ版を既読の方はお気付きかもしれませんが、まだこのお話には続きがあります。読者の皆様の応援のお陰で執筆させて頂ける事になりました。三巻が刊行された際は、またお手に取って頂けますと幸いです。

森川茉里

DRE NOVELS

婚約破棄のその先に 2
～捨てられ令嬢、王子様に溺愛（演技）される～

2024 年 1 月 10 日　初版第一刷発行

著者　森川茉里
発行者　宮崎誠司
発行所　株式会社ドリコム
〒 141-6019　東京都品川区大崎 2-1-1
TEL　050-3101-9968
発売元　株式会社星雲社（共同出版社・流通責任出版社）
〒 112-0005　東京都文京区水道 1-3-30
TEL　03-3868-3275
担当編集　上山拓也
装丁　AFTERGLOW
印刷所　図書印刷株式会社

Printed in Japan
ISBN978-4-434-32873-2

月花の少女アスラ3 ～極悪非道の傭兵、転生して最強の傭兵団を作る～

葉月双
［イラスト］水溜鳥

「《魔王》ジャンヌを倒したら、私は《勇者》アスラになるのかね」

　人類以外の種のための救済――神聖リヨルール帝国の新皇帝となった過去の亡霊ジャンヌは世界を敵に人類の滅亡を願った戦争を開始した。

　英雄たちから《魔王》に相当する脅威と認定されたジャンヌたちの侵攻を止めるべく戦地へと赴いたアスラたち傭兵団《月花》一行。死と恐怖に染まった戦場、理不尽と絶望が渦巻く戦争にアスラだけが狂喜する。

「君は本当に、愛しくもおぞましい奴だよ」。愛と悲劇に溢れた戦争が開幕――異世界戦記ダークファンタジー第3弾。

DRE NOVELS

宰相補佐と黒騎士の契約結婚と離婚とその後2
～辺境の地で二人は夫婦をやり直す～

高杉なつる
［イラスト］赤酢キヱシ

「あの女の名前はフローレンス・ベイリアル、お兄様の元婚約者よ」

　様々な誤解とすれ違いを経て辺境の地で、ようやく再び夫婦をやり直すことになったヨシュアとリィナ。そんな幸せな生活が3ヵ月経った頃、原因不明の疫病が発生した村の調査のため、ヨシュアとともに現地に赴くリィナだったが、思わぬ形でヨシュアの元婚約者と出会ってしまい、またしても二人の仲にすれ違いが……。

「神に愛を誓った相手は、リィナだけだ。それは生涯変わらない」

　不器用でも一歩ずつ夫婦をやり直す、二度目の結婚生活ラブロマンス完結。

DRE NOVELS